KIT PRATIQUE

Donnez vie à vos photos numériques

Copyright

Micro Application
20-22, rue des Petits-Hôtels
75010 Paris

1ère Édition - Décembre 2003

Auteur

Gilles Boudin

Avertissement aux utilisateurs

Les informations contenues dans ce produit sont données à titre indicatif et n'ont aucun caractère exhaustif voire certain. A titre d'exemple non limitatif, ce produit peut vous proposer une ou plusieurs adresses de sites Web qui ne seront plus actualité ou dont le contenu aura changé au moment où vous en prendrez connaissance. Aussi, ces informations ne sauraient engager la responsabilité de l'Editeur. La société MICRO APPLICATION ne pourra être tenue responsable de toute omission, erreur ou lacune qui aurait pu se glisser dans ce produit ainsi que des conséquences, quelles qu'elles soient, qui résulteraient des informations et indications fournies ainsi que de leur utilisation.

ISBN : 2-7429-3244-5

MICRO APPLICATION
20-22, rue des Petits-Hôtels
75010 PARIS
Tél : 01 53 34 20 20– Fax : 01 53 34 20 00
http://www.microapp.com

Support technique :
Fax : 01 53 34 20 00
également disponible sur
www.microapp.com

Avant-propos

La collection *Kit Pratique* s'adresse aux utilisateurs possédant quelques bases en informatique. Elle vous permet de réaliser immédiatement des projets concrets, sans avoir à lire un ouvrage de A à Z pour trouver la réponse à une question précise.

Pour cela, nous avons conçu cette collection autour de fiches pratiques, afin que vous trouviez instantanément l'information recherchée, de façon condensée. Chaque fiche équivaut ainsi à la réalisation d'un cas concret.

Le CD-ROM d'accompagnement contient les outils et les fichiers nécessaires pour reproduire l'exemple étudié. Il renferme également de nombreux bonus, parmi lesquels des logiciels en versions complètes et illimitées, des versions d'évaluation, des freewares et bien d'autres surprises*.

Vous avez la possibilité de télécharger directement le contenu du CD-ROM depuis le site Internet de Micro Application. Il vous suffit de taper l'adresse suivante : http://www.microapp.com/kit_pratique.

La convivialité et le confort d'utilisation n'ont pas été oubliés. Pour que votre apprentissage soit le plus agréable possible, tous les ouvrages sont entièrement en couleur, agrémentés de nombreuses illustrations de *Kitou*, la mascotte de la collection !

* Contenus différents suivant les ouvrages.

Au cours de votre lecture, vous trouverez les encadrés suivants :

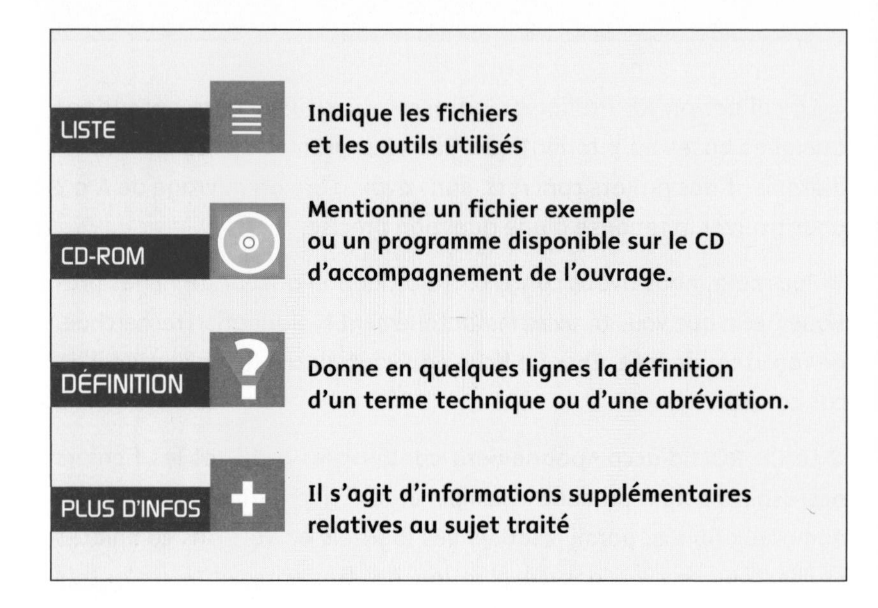

Afin de faciliter la compréhension des techniques décrites, nous avons adopté les conventions typographiques suivantes :

➔ **Gras** : menu, commande, boîte de dialogue, bouton, onglet.

➔ *Italique* : zone de texte, liste déroulante, case à cocher, bouton radio.

➔ `Police bâton` : programme, texte à saisir.

➔ ✂ : dans les programmes, indique un retour à la ligne dû aux contraintes de la mise en page.

Sommaire

Sommaire

Sommaire

Gérer les images numériques

Importation, gestion, tri, organisation sont autant de mots souvent rébarbatifs pour les heureux possesseurs d'appareils photo numériques qui ne conçoivent leur passion de la prise de vue qu'en termes de plaisir. Loin d'aller à l'encontre de cette notion essentielle à toute forme d'art, les fiches pratiques qui suivent vont vous permettent d'optimiser la gestion de vos clichés. C'est Photoshop Album, le logiciel de gestion des images numériques d'Adobe, qui nous servira de support. Nous verrons tout d'abord comment importer les images directement depuis un appareil photo numérique ou un scanner. Puis nous nous pencherons sur les possibilités offertes par l'application d'Adobe en matière de gestion et d'affichage des images. Nous vous apprendrons par ailleurs à définir vos propres critères d'organisation. L'objectif de ce chapitre est double : vous expliquer comment organiser vos images de manière à ne plus égarer vos clichés dans votre ordinateur et vous offrir les meilleures bases de gestion pour vous lancer dans les nombreuses créations que propose cet ouvrage.

FICHE 1 Importer des images d'un appareil photo numérique

De nombreux possesseurs d'appareils photo numériques ont des difficultés dès lors qu'il s'agit d'importer des images sur un ordinateur. Leurs lacunes en termes de connaissances du matériel et des logiciels sont sans doute en cause. D'un autre côté, après avoir pris une centaine de clichés lors d'un événement familial, qui aurait envie de se pencher sur les impératifs USB et les logiciels de transfert d'images ? Heureusement, Photoshop Album saura, en quelques clics, gommer ces difficultés.

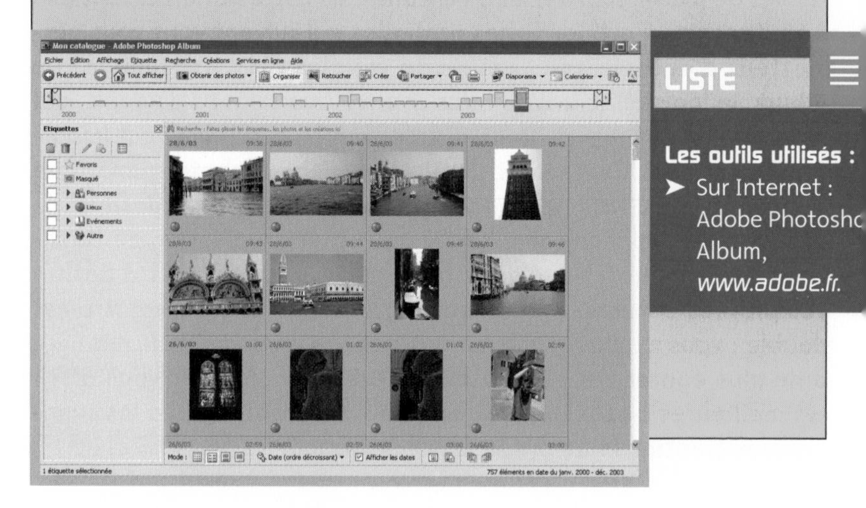

LISTE

Les outils utilisés :

➤ Sur Internet : Adobe Photoshop Album, *www.adobe.fr.*

1 Lancez Photoshop Album et mettez votre appareil sous tension, en ayant pris soin au préalable de le raccorder à votre ordinateur. Si l'interface **Guide pratique** n'est pas ouverte par défaut, ouvrez-la via le menu **Aide/Guide Pratique**.

2 Cliquez sur l'onglet **Obtention**, puis sur *Appareil photo*. La boîte de dialogue **Obtenir des photos à partir d'un appareil photo ou d'un lecteur**

de carte s'ouvre. Déroulez la liste *Appareil photo*. Si votre appareil a été convenablement installé et s'il est sous tension, son nom apparaît dans la liste déroulante, au même titre que vos autres périphériques d'acquisition (un scanner par exemple).

3 Par défaut, Photoshop Album propose de sauvegarder ces images dans un répertoire qu'il va créer lui-même. Si vous souhaitez modifier l'emplacement de cette sauvegarde, cliquez sur le bouton **Parcourir** et définissez un nouvel emplacement, au besoin en créant un nouveau dossier.

4 La case *Créer un sous-dossier* permet de nommer les sous-dossiers en fonction de leur date de création. Cette option s'avérera très pratique lorsque vous importerez ultérieurement de nouvelles photos. Il vous appartient de cocher ou non la case *Supprimer les photos de l'appareil photo ou de la carte mémoire*. Vos paramètres d'importation étant définis, cliquez sur OK.

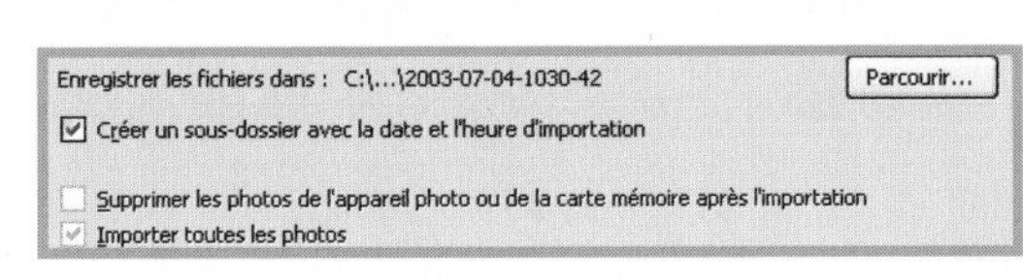

5 S'affiche alors l'interface propriétaire de votre appareil photo numérique auquel Photoshop Album passe la main. Les interfaces de transfert d'images vers un ordinateur étant aussi différentes que les modèles d'appareils photos, il convient de se référer à la notice d'utilisation de votre matériel en cas de souci lors de l'importation.

6 La boîte de dialogue **Obtention de photos** rend compte de l'évolution de l'importation des images vers votre ordinateur. Une fois le transfert achevé, vos prises de vue s'affichent dans l'interface principale de Photoshop Album. Fermez le **Guide pratique** et passez à la fiche pratique suivante pour en savoir plus sur la gestion par étiquettes des images numériques.

FICHE 2 Trier les images avec les étiquettes

L'importation des images numériques s'est déroulée correctement. Vos photos sont sauvegardées dans un dossier que vous avez créé peu avant l'importation des clichés sur votre disque dur. La prochaine fois que vous exécuterez cette opération, une nouvelle centaine d'images viendra probablement s'ajouter à la collection déjà présente. Sans une bonne organisation des clichés, le chaos régnera tôt ou tard ; vous aurez des difficultés à retrouver une image particulière dans un tel fouillis. Vous pouvez éviter cela en recourant aux étiquettes de Photoshop Album ; elles sont d'un grand secours.

LISTE

Les outils utilisés :

➤ Sur Internet : Adobe Photoshop Album, *www.adobe.fr.*

ÉTAPE 1 Effectuer un tri préalable

1 Vos images fraîchement importées sont, par défaut, affichées par dates d'importation, en ordre décroissant. Cette méthode de classement est insuffisante, surtout si vous importez plusieurs dizaines d'images simultanément.

Pour modifier l'apparence des images à l'écran, utilisez les quatre boutons de mode situés en bas et à gauche de l'interface (les tailles vont de la mosaïque de vignettes à l'affichage d'une image unique).

2 Si la boîte de dialogue **Étiquettes** n'est pas déjà affichée à gauche de l'interface, utilisez le menu **Affichage/Étiquettes**. Six catégories sont prédéfinies par Photoshop Album et représentent un bon début d'organisation : *Favoris* et *Masqué* ne vous seront pas utiles dans l'immédiat ; il reste *Personnes*, *Lieux*, *Événements* et *Autre*.

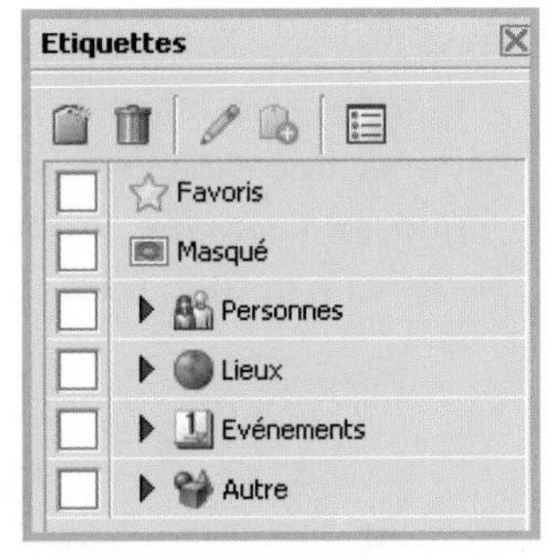

3 Vous allez attribuer une étiquette à une image. Par exemple, vous allez étiqueter un cliché d'un de vos proches en tant que *Personnes*. En ce sens, cliquez sur la catégorie *Personnes*, puis glissez l'étiquette qui accompagne le pointeur sur l'image en question. Relâchez l'étiquette : l'image appartient désormais à la catégorie *Personnes*. Un pictogramme à l'image de cette catégorie s'affiche sous la vignette de votre photo.

4 Vous allez à présent étiqueter toutes les images montrant des personnes de votre entourage. Rassurez-vous, il n'est pas question de répéter l'opération précédente pour chaque photo. Tout en maintenant la touche Ctrl enfoncée, cliquez sur les clichés à ranger dans la catégorie *Personnes*. Chaque vignette est encadrée d'un liséré jaune.

5 De la même manière qu'à l'étape 3, faites glisser l'étiquette de la catégorie *Personnes* sur l'une des photos encadrées (n'importe laquelle). Rapidement, l'ensemble des images encadrées est étiqueté (observez les pictogrammes sous chacune des images). Vous pouvez recommencer cet exercice avec les autres catégories et appliquer les étiquettes aux images non classées. Notez qu'il est parfaitement possible (et recommandé) d'appliquer plusieurs étiquettes à une même image. Prenez l'exemple d'un mariage : il s'agit d'un *Événement*, auquel participent des *Personnes* réunies dans un *Lieu*.

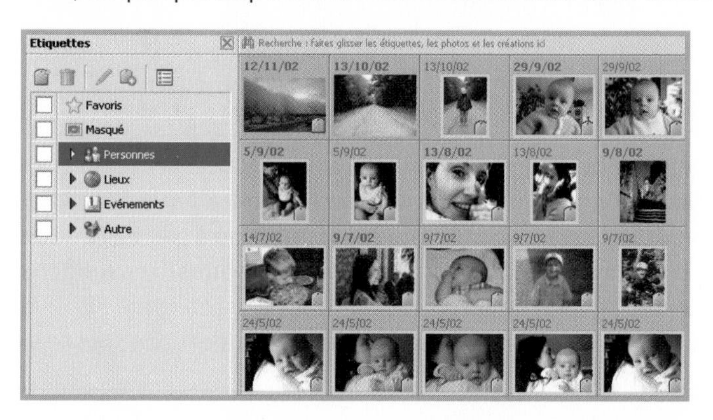

ÉTAPE 2 Afficher les images en fonction des étiquettes

6 Vos images étant étiquetées, vous allez, en un seul clic, afficher uniquement les photos correspondant à une catégorie précise. Dans la boîte de dialogue **Étiquettes**, des carrés vierges sont disponibles pour chacune des catégories. Par exemple, pour afficher les images de la catégorie *Personnes*, cochez la case en regard. Une petite paire de jumelles apparaît dans ladite case et seuls les clichés de vos proches occupent l'écran. Si vous avez attribué des étiquettes de la catégorie *Lieux* par exemple, décochez la catégorie *Personnes* et sélectionnez *Lieux*. Le résultat est immédiat !

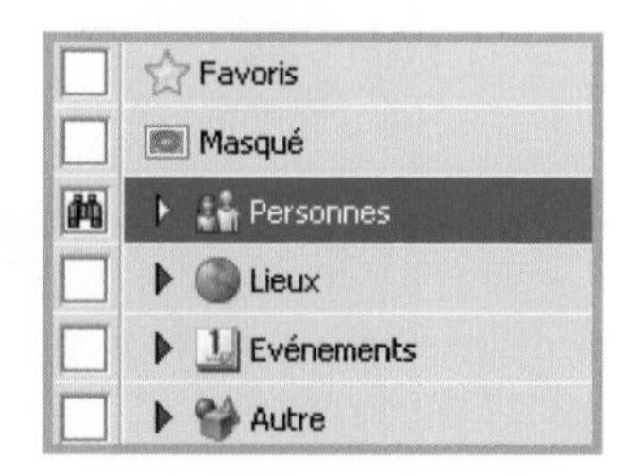

FICHE 3 Créer ses propres étiquettes

Les quatre catégories prédéfinies par Photoshop Album sont insuffisantes. Vous aurez vite besoin d'améliorer l'organisation de vos images. Si la catégorie Personnes est utile dans un premier temps, il est intéressant de définir des étiquettes propres à chacune de vos connaissances. Cette remarque vaut pour les autres catégories, qui nécessitent également d'être « ramifiées ». Photoshop Album prend toute sa dimension d'outil de gestion à mesure que vous vous créez des étiquettes. Voyons cela dans le détail.

1 Vous allez créer une étiquette pour chacune des personnes de votre famille. Sélectionnez la catégorie *Personnes* dans la boîte de dialogue **Étiquettes**. Cliquez du bouton droit sur cette catégorie et choisissez *Créer une étiquette dans la catégorie Personnes*.

2 S'ouvre alors l'éditeur d'étiquettes. La liste déroulante *Catégorie* est positionnée sur *Personnes* (la catégorie générique). Rédigez le nom de la personne dont les clichés se verront étiquetés.

3 La zone *Remarque* n'est pas d'une utilité majeure. Servez-vous-en pour préciser les critères de votre étiquette. Cliquez sur OK. Vous venez de créer une étiquette (ou une « sous-catégorie »), qui prend place sous la catégorie générique *Personnes*. Appliquez-la à la personne concernée (voir la fiche précédente), puis créez autant d'étiquettes que bon vous semble.

FICHE 4 Effectuer une recherche croisée

Retrouver des images, lorsqu'elles sont étiquetées, est un jeu d'enfant. Vous savez déjà afficher tous les clichés d'une catégorie (il en va de même pour les sous-catégories). Voyons comment effectuer une recherche croisée qui répond à des critères précis. Ces opérations de tri et d'organisation prennent tout leur sens dès lors que le disque dur regorge de photos numériques.

LISTE

Les outils utilisés :

➤ Sur Internet : Adobe Photoshop Album, *www.adobe.fr.*

Supposons l'ensemble des images présentes sur votre disque étiquetées avec Photoshop Album. Les étiquettes utilisées sont les plus diverses possibles. Votre mission : afficher des images répondant à des critères précis. Pour commencer, affichez toutes les sous-catégories. Pour ce faire, activez le menu **Étiquette/Développer tout**.

2 Sélectionnez, par exemple, une étiquette enregistrée dans la catégorie *Personnes*. Sachant que cette personne était présente à un mariage ou à une autre festivité, sélectionnez l'étiquette correspondante, très certainement comprise dans la catégorie *Événements*.

3 Le résultat est immédiat. Fonctionnant comme une base de données, Photoshop Album affiche les seules images représentant la personne choisie lors de cet événement précis, laissant de côté toutes les photos qui ne répondent pas directement à ces deux critères de recherche.

4 Observez la barre bleu ciel située au-dessus de l'espace de visualisation des images. À droite de la mention *Critères de recherche* sont disposées les deux vignettes symbolisant vos sous-catégories. En dessous figurent diverses informations : le nombre d'éléments correspondant à votre requête (ils s'affichent à l'écran), le nombre d'éléments à correspondance étroite (l'addition de l'ensemble des images de la personne et de celles du mariage), et les éléments sans correspondance (les images ne montrant ni la personne, ni le mariage).

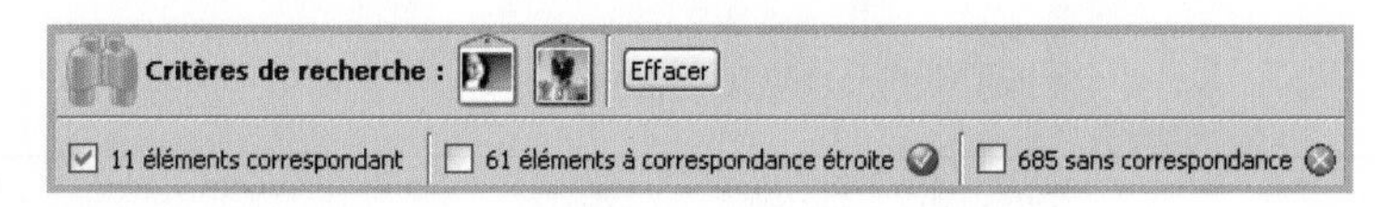

5 Photoshop Album dispose d'une fonction qui retrouve les images ayant échappé à un étiquetage massif. Activez le menu **Recherche/Éléments sans étiquette**. S'affichent des images orphelines, qui attendent une étiquette d'adoption !

FICHE 5 Opérer une rotation sur une image

On distingue les prises de vue en mode Portrait (l'appareil est orienté à la verticale lors du déclenchement) et les prises de vue en mode Paysage (l'appareil est orienté à l'horizontale). L'importation des images dans un ordinateur livre les clichés dans leur état brut. Selon l'orientation de vos photos, vous risquez donc un méchant torticolis lorsque vous les regardez à l'écran. Dans Photoshop Album, comme dans Photoshop Elements 2.0, il existe un moyen très simple de ne pas se tordre le cou. Voyons cela en détail.

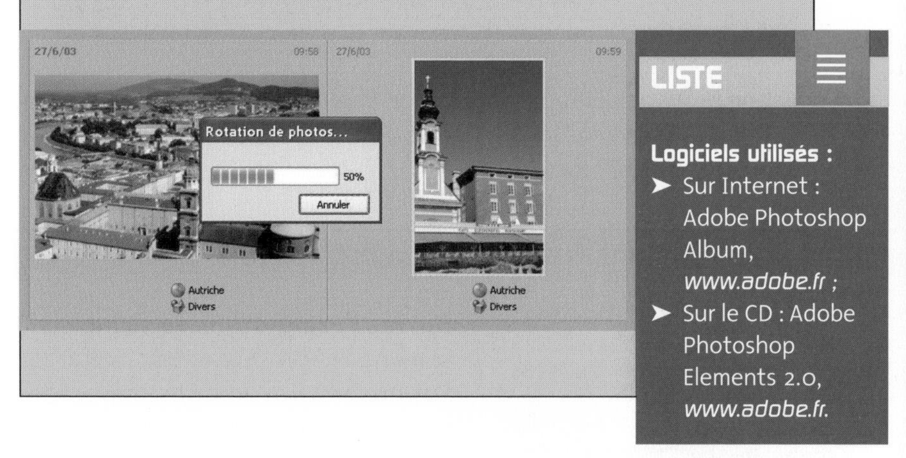

LISTE

Logiciels utilisés :

- Sur Internet : Adobe Photoshop Album, *www.adobe.fr* ;
- Sur le CD : Adobe Photoshop Elements 2.0, *www.adobe.fr*.

ETAPE 1 Dans Photoshop Album

1 Importez vos images comme vous le faites habituellement, puis sélectionnez un cliché pris en mode Portrait que vous souhaitez réorienter.

2 Entre les boutons à droite en bas de l'interface, les menus **Edition/Rotation** (horaire et anti-horaire) et le menu contextuel accessible via un clic droit, vous avez l'embarras du choix. Préférez ce dernier, bien plus pratique : cliquez sur l'image à orienter, puis choisissez le sens de la rotation dans le menu contextuel.

3 Une boîte de dialogue **Rotation de photo** s'ouvre et, moyennant un temps de calcul propre au poids de votre fichier, réoriente l'image pour une meilleure lecture.

ETAPE 2 Dans Photoshop Elements 2.0

4 Ouvrez l'Explorateur de fichiers via le menu **Fenêtre/Explorateur de fichiers**. Supposons vos images importées puis sauvegardées sur votre disque dur. Dirigez-vous alors, via l'arborescence de l'Explorateur, vers le répertoire de sauvegarde en question. Le répertoire sélectionné, vos images s'affichent dans la partie droite de l'Explorateur de fichiers.

5 Sélectionnez une image en mode Portrait, puis cliquez sur la flèche noire et arrondie, située en bas à droite de l'interface, non loin de la Corbeille. L'image pivote de 90° vers la droite. Pour opérer une rotation dans le sens inverse, effectuez la même opération, cette fois en appuyant simultanément sur la touche Alt.

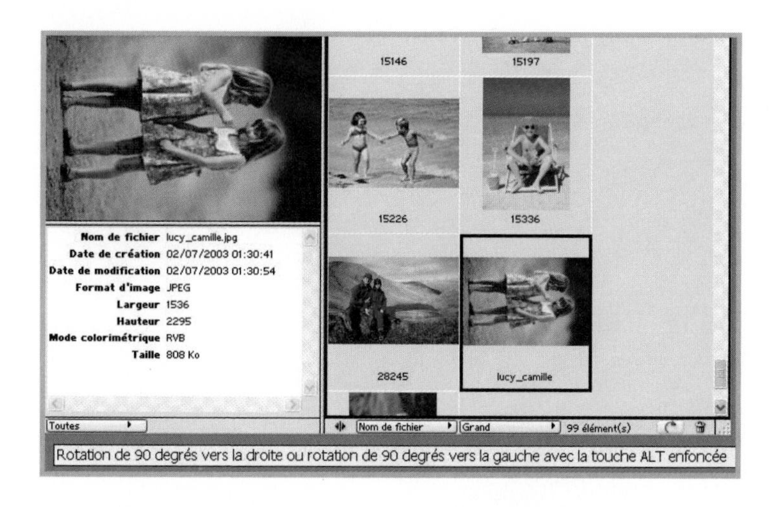

6 Comme l'indique le message qui s'affiche, cette rotation ne concerne que la vignette présente dans l'Explorateur de fichiers. L'image n'est définitivement réorientée que si vous la sauvegardez sous sa nouvelle forme.

Du jamais vu pour les images

L'idée de construire, en quelques clics, un musée en 3D où afficher vos images vous séduit ? Vous rêvez de prendre en photo des paysages pour en faire de vrais panoramas ? Créer un écran de veille avec vos propres photos ou présenter vos images estivales sur l'écran de votre téléviseur vous semblent impossibles ? Grâce aux fiches qui suivent, vous allez apprendre à présenter vos clichés de façon originale. Vous en étonnerez plus d'un !

FICHE 6 Composer un panorama

De nombreuses grandes marques d'appareils photo ou de films argentiques proposent des appareils jetables au format panoramique. Souvent onéreux au regard du faible nombre de poses qu'ils offrent (en moyenne quinze), ces appareils n'ont de panoramique que le nom. En effet, il s'agit, ni plus ni moins, d'objectifs grands-angles assez conventionnels, capables de photographier des scènes dont les bords hauts et bas seront tronqués lors du tirage. Certes, l'aspect global des photos donnent une sensation de panoramique, mais rien de plus. La fiche pratique qui suit explique comment concevoir une vraie photographie panoramique, à partir de trois images distinctes que vous mixerez manuellement.

LISTE

Les fichiers du CD

- Pano1.jpg ;
- Pano2.jpg ;
- Pano3.jpg.

Les outils utilisés

- Sur le CD : Ado Photoshop Elements 2.0, *www.adobe.fr*.

ÉTAPE 1 Préparer les images

1 En préambule, voici quelques conseils de prise de vue pour optimiser votre futur panorama. Comme souvent pour ce genre de prise de vue, le sujet est un paysage. Il vous faut disposer de plusieurs

images (trois étant une base, avec un objectif proche des 35 mm). Si possible, utilisez un trépied placé à la même hauteur pour chacune des images. Si vous ne disposez pas de trépied, veillez à ne pas varier la hauteur de l'appareil entre chaque prise et restez au même endroit pour ne pas casser l'axe de prise de vue. Assurez-vous que l'éclairage de la scène à photographier soit le plus uniforme possible de part et d'autre du paysage. Faites en sorte d'avoir le soleil dans le dos car les extrémités de l'image auront ainsi les mêmes valeurs de luminosité. Enfin, prenez les photos sans délai les unes après les autres (un mauvais raccord entre deux nuages est vite arrivé !).

2 Importez les trois images dans l'interface de Photoshop Elements 2.0. À l'aide de l'outil **Zoom arrière** (Z), réduisez la taille des trois photos, puis disposez-les dans l'interface de façon à simuler le panorama.

3 Le but de cette étape est d'homogénéiser la luminosité des trois clichés afin d'éviter les raccords trop voyants lors du montage du panorama. Si la lumière est sensiblement identique sur les différentes photos, cette étape ne devrait pas être trop longue. Sélectionnez la photo centrale et cliquez sur le bouton **Quick Fix** de la barre d'outils. Sélectionnez la catégorie *Luminosité*, puis *Niveaux automatiques*. Appliquez pour vous donner un aperçu, puis validez si le résultat vous convient.

4 Répétez cette opération pour les deux photos restantes jusqu'à obtenir un niveau de luminosité commun aux trois images.

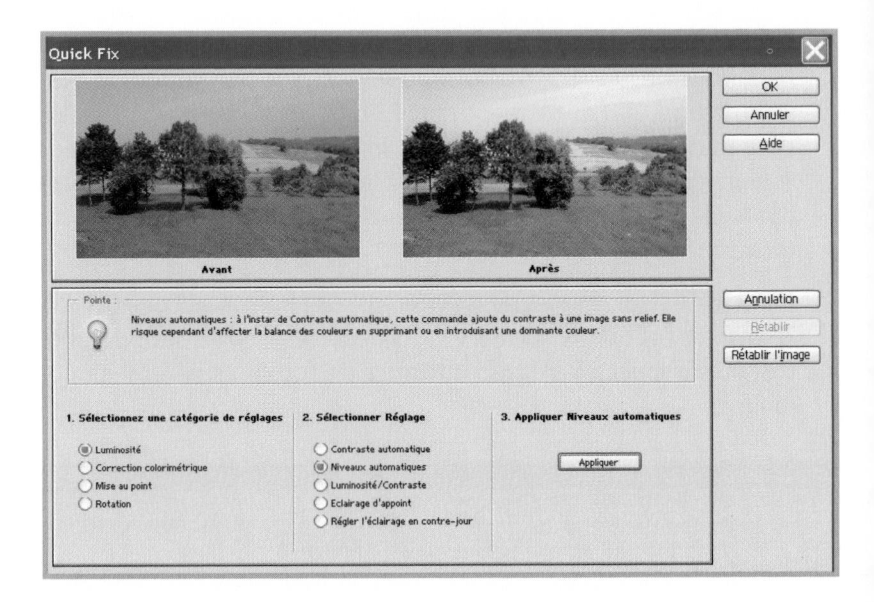

ÉTAPE 2 Composer le panorama

5 Activez le menu **Fichier/Créer Photomerge**. Photoshop Elements calcule alors brièvement les niveaux de luminosité des bords de chaque image et affiche un message récapitulant les fichiers sources (vos trois images). Vous êtes d'accord avec le logiciel ? Dans ce cas, validez par OK et admirez Elements 2.0 au travail.

6 Souvent, un message informe de l'impossibilité de monter certaines images. Ne vous inquiétez pas : l'essentiel est que Photoshop Elements permette de monter le panorama manuellement. Dans l'interface de visualisation, seules deux images sur les trois ont été montées, la troisième restant dans le conteneur en haut de la fenêtre

Photomerge. Faites-la simplement glisser et disposez-la à sa place dans le panorama.

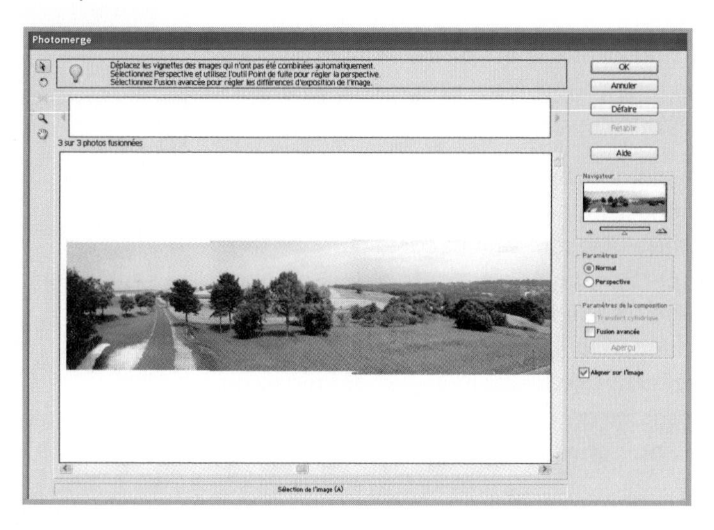

7 Vos trois images installées dans l'interface, il vous reste à les juxtaposer parfaitement. Le but est d'ôter toute sensation de raccord entre les trois photographies. Positionnez l'image centrale au milieu de l'interface et n'y touchez plus. Sélectionnez maintenant l'image de gauche et faites-la glisser sur l'image du centre. Les parties communes aux deux images se mélangent instantanément. Choisissez comme repère de raccord un élément tel que la ligne d'horizon. Lorsque le montage est parfait, relâchez l'image de gauche. Le résultat est stupéfiant, non ?

8 Répétez cette opération pour l'image de droite.

ÉTAPE 3 Affiner l'image panoramique

9 Observez les commandes sur la droite de la boîte de dialogue Photomerge. La rubrique *Paramètres* vous propose d'appliquer des valeurs de perspectives. Attention : ces valeurs sont subjectives et le résultat est souvent curieux. Essayez néanmoins. Si l'image dans l'inter-

face ne vous convient pas, sélectionnez de nouveau le mode *Normal*, qui aplatit les perspectives. N'hésitez pas à utiliser l'option *Fusion avancée* qui affine le montage des images en supprimant encore plus les imperfections des raccords. Validez par OK.

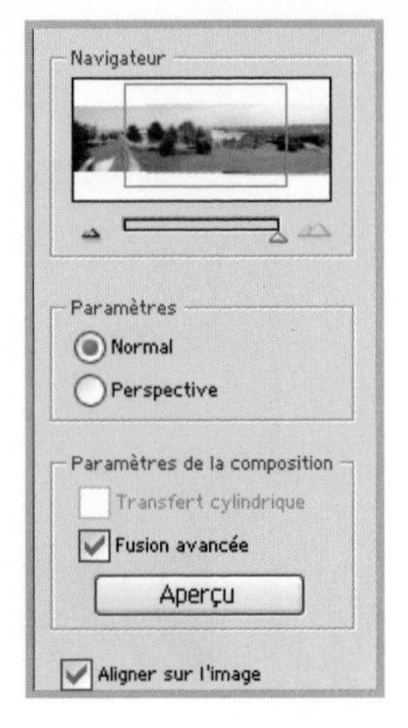

10 Votre panorama s'affiche dans l'interface de Photoshop Elements sous le nom de *Photomerge*. Double-cliquez sur la barre de titre de cette image. Si le montage laisse apparaître un fond transparent (un damier gris et blanc) sur les bords de l'image, sélectionnez l'outil **Recadrage** (C) et définissez un recadrage qui élimine les parties transparentes résultant du montage des trois photos. Validez par OK.

11 Votre panorama est presque terminé. Comme il s'agit d'une simple image (du moins pour Photoshop Elements), vous pouvez de nouveau afficher la boîte de dialogue **Quick Fix** et procéder à des réglages de luminosité, de contraste et de valeurs colorimétriques, ceux-ci étant bien évidemment appliqués à l'ensemble de l'image.

12 N'oubliez pas enfin de sauvegarder votre panorama.

FICHE 7 Créer un CD vidéo

Finies les soirées diapos d'antan, avec la chaleur du projo, les commentaires monocordes du photographe et la douce quiétude d'une pénombre post-estivale... Place aux DVD ! Vous allez apprendre à créer un CD vidéo sur lequel vous placerez vos photos numériques. Vous projetterez celles-ci sur votre téléviseur, comme lors d'un diaporama, en diffusant simultanément la musique de votre choix. Pour ce faire, il suffira de glisser le CD vidéo dans votre lecteur de DVD de salon. À l'aide de Photoshop Album et de votre graveur de CD-Rom, vous allez réaliser cette prouesse en quelques clics. Seuls manqueront les esquimaux à l'entracte !

LISTE

Les fichiers du CD :

➤ 055.jpg ; 007.jpg ; 018.jpg ; 024.jpg ; 032.jpg ; 046.jpg.

Les outils utilisés :

➤ Sur Internet : Adobe Photoshop Album, *www.adobe.fr.*

1 Les images que vous souhaitez intégrer à votre CD vidéo sont affichées et sélectionnées dans l'interface de Photoshop Album.

2 Les images destinées au CD vidéo doivent répondre à des exigences en termes de résolution. Pour obtenir un résultat satisfaisant, ne

descendez pas au-dessous des 1 024×768 pixels. En deçà, si vos images devaient être agrandies par l'assistant de création (nous verrons cela plus tard), elles seraient très pixellisées et, par conséquent, d'une qualité assez médiocre.

3 Activez le menu **Créations/CD Vidéo**. Vous voilà dans l'assistant de création de CD vidéo. La première étape consiste à sélectionner un style pour votre diaporama. Choisissez en fonction de vos goûts personnels. Cliquez sur **Suivant**.

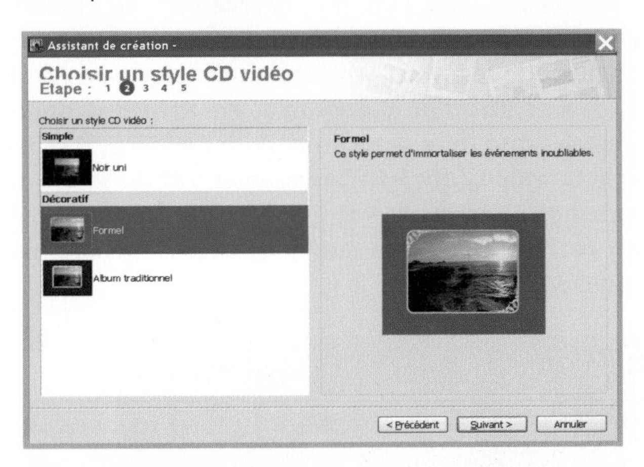

4 Vous pouvez insérer un titre à votre CD vidéo. Il s'affichera sous la première image et n'apparaîtra plus. Pour ce faire, cochez la case *Titre* et

SI VOUS FAITES FACE À DES DIFFICULTÉS DANS L'IMPORTATION OU LA GESTION DE VOS IMAGES SOUS CE LOGICIEL, REPORTEZ-VOUS AU CHAPITRE *Gérer les images numériques*, **QUI RÉUNIT DES FICHES CONSACRÉES À L'ORGANISATION DES PHOTOS NUMÉRIQUES.**

remplissez le champ qui lui fait face. La rubrique suivante, nommée *Options de présentation*, permet de conjuguer image et son. Photoshop Album propose quelques boucles de musique au format MP3. Mais si vous disposez du logiciel adéquat pour encoder vos propres morceaux, utilisez le bouton **Parcourir** pour les sélectionner.

5 La liste déroulante *Transition*, calée sur l'option *Estampage*, fera défiler vos photos avec la plus grande souplesse, sur le mode du fondu enchaîné.

Dans la liste déroulante *Fréquence des pages*, vous avez le choix entre un affichage des images durant *2*, *4* ou *10* secondes. Cette dernière valeur est conseillée : laissez à vos spectateurs le temps d'apprécier vos photos.

La case d'option *Autoriser le redimensionnement de la vidéo* permet d'adapter une image en fonction de la taille de l'écran sur lequel elle sera diffusée. Si vos images n'ont pas une résolution suffisante (voir plus haut), le fait de cocher cette case étirera les photos pour remplir le cadre au risque de dégrader la qualité des images (d'où l'intérêt d'utiliser une bonne résolution).

Enfin, si celles-ci sont accompagnées d'une légende, cochez la case *Inclure les légendes*. Cliquez sur **Suivant**.

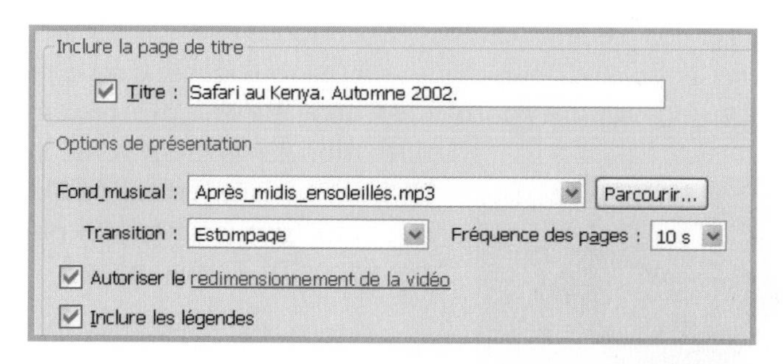

6 La fenêtre de prévisualisation qui suit vous donne un aperçu de votre diaporama, via le bouton situé en bas et à gauche. Cet aperçu est en tout point identique à ce que verront les spectateurs lors de la projection de votre CD vidéo. N'hésitez pas à vous en servir. Si quelque

chose ne va pas (temps d'apparition trop long, mauvais choix de musique), cliquez sur le bouton **Précédent**.

7 Autre souci possible : une mauvaise organisation des images. Cliquez alors sur le bouton **Réorganiser les photos**, qui vous renvoie dans l'espace de travail où vous pourrez glisser et déposer vos images dans un ordre différent. Si tout est conforme à vos souhaits, cliquez sur **Suivant**.

8 Dans la rubrique *Options de sortie* figurant à droite de la boîte de dialogue **Assistant de création**, sélectionnez l'option *Graver*. Un ou plusieurs messages de dysfonctionnement propres à l'impression de certaines images présentes dans le diaporama peuvent apparaître. Comme vous n'allez pas imprimer mais graver, cliquez sur **Continuer**.

9 Insérez un CD-R vierge dans votre graveur. Photoshop Album reconnaît celui-ci et vous propose de définir un format de sortie pour votre CD vidéo. En effet, l'encodage ne sera pas le même en fonction du média de sortie. Dans le cas présent, choisissez l'option *Graver un CD vidéo à lire sur un lecteur DVD*, puis cliquez sur OK. Vous lancez ainsi la procédure de gravure propre à Photoshop Album, qui vous avertira de la fin de l'opération. Le moment venu, insérez le CD vidéo dans le lecteur de DVD (pratiquement tous les modèles portent la mention VCD). Bonne soirée !

FICHE 8 Créer un diaporama audiovisuel

Version light et plus populaire, mais non moins agréable, de ce que propose la fiche précédente, le diaporama au format PDF peut être vu sur un écran d'ordinateur via le lecteur Acrobat Reader. Vous pouvez par exemple envoyer le fichier final par courrier électronique, si son poids final est correct, ou le graver sur un CD-R, lisible sur tout ordinateur embarquant un lecteur approprié. La création d'un diaporama au format PDF est comparable à la création d'un CD vidéo, à quelques petites différences près, en termes de mise en œuvre, de format de sortie et de résultat final.

LISTE

Les fichiers du CD :

- 063.jpg ; 064.jpg ; 065.jpg ; 066.jpg ; 067.jpg ; 068.jpg ; 069.jpg ; 070.jpg.

Les outils utilisés :

- Sur Internet : Adobe Photoshop Album, *www.adobe.fr.*

Sélectionnez les images que vous souhaitez intégrer dans votre diaporama. Ces images peuvent être regroupées sous une étiquette.

POUR PLUS DE RENSEIGNEMENTS AU SUJET DE LA GESTION ET DE L'ORGANISATION DE VOS IMAGES PAR ÉTIQUETTES, REPORTEZ-VOUS AU CHAPITRE *Gérer les images numériques*.

2 Les images étant sélectionnées (elles sont bordées d'un cadre jaune), portez votre attention sur la barre d'outils de Photoshop Album. Cliquez sur la flèche noire du bouton *Diaporama*. Sélectionnez l'option *Création de diaporama*. S'ouvre l'espace de travail dans lequel vous glisserez l'ensemble de vos images sélectionnées. Cliquez sur le bouton **Lancer l'assistant de création**.

3 Choisissez le modèle de création *Diaporama*, puis cliquez sur **Suivant**. Dans la boîte de dialogue qui suit, choisissez un style de présentation. Cliquez sur **Suivant**. La fenêtre de personnalisation de votre diaporama s'affiche ; elle marque un vrai changement par rapport au CD vidéo. Après avoir intégré un titre, vous constaterez que plusieurs images peuvent être affichées dans les pages centrales de votre diaporama.

Déroulez la liste *Photos par page* : les trois premiers choix permettent d'afficher une, deux ou trois images par page ; les deux autres correspondent à un format plus aléatoire qui brisera ce côté routinier (par exemple, une séquence répétitive de une, puis de trois, puis enfin de deux images).

Personnaliser votre Diaporama
Etape : 1 2 3 4 5
Inclure la page de titre
Titre : Arbres etc. Une idée de nature
Pages centrales
Photos par page : Séquence : 1, 3, 2, répétition
Inclure les légendes

4 Vous pouvez sélectionner un fond musical en déroulant le menu idoine. Le bouton **Parcourir** vous permet de rechercher un morceau de votre choix si vous ne souhaitez pas utiliser les boucles prédéfinies de Photoshop Album. Deux formats sont possibles : le très brut et très lourd *.wav* (à éviter si le diaporama est destiné à être envoyé par e-mail) et le compressé MP3 (le morceau ne doit pas être trop long, ni donc trop lourd, pour un courrier électronique).

5 Au lieu d'un fond musical, vous pouvez insérer un commentaire via les légendes audio. Sélectionnez *Sans* dans la liste *Fond musical* et cochez la case *Lire les légendes audio*.

Finalisez les options de présentation, notamment en ce qui concerne les modes de transition (l'option *Estompage* est très réussie), la fréquence des pages et le redimensionnement des images (une case à cocher permet d'éviter les mauvaises surprises, en cas d'images trop petites ou trop grandes). Cliquez sur **Suivant**.

6 Pour obtenir un aperçu de votre diaporama dans des conditions réelles de visualisation, cliquez sur le bouton **Aperçu plein écran**. Au besoin, vous pouvez modifier l'ordre des images via le bouton **Réorganiser les photos**, qui vous renvoie à l'étape 2 de cette fiche.

7 Pour bousculer l'ordre établi, faites glisser une image à la place que vous souhaitez lui attribuer. Un bouton **Retour à l'assistant** vous fait revenir à la fenêtre d'aperçu. Si tout vous convient, cliquez sur **Suivant**.

8 Dans la rubrique *Options de sortie*, cliquez sur **Enregistrer au format PDF**. Puis, dans la boîte de dialogue d'avertissement qui s'ouvre, sélectionnez l'option *Optimiser pour l'affichage à l'écran*. Des messages d'erreur peuvent s'afficher, concernant le plus souvent des problèmes liés à la résolution. Pour un affichage sur écran, ignorez ces avertissements et cliquez sur **Continuer**.

9 Enregistrez votre fichier PDF sur votre disque dur. Envoyez-le par e-mail ou gravez-le sur un CD-R, selon les besoins.

FICHE 9 Créer un écran de veille en trois clics

Les écrans de veille de Windows XP vous ennuient ? Les canalisations 3D vous obsèdent autant que les objets flottants ? Vous ne supportez plus ces lignes hypnotiques gigoter dans tous les sens, changer de couleurs ? Et si vous optiez pour un écran de veille vraiment différent ? Imaginez que ce soit vos propres images qui défilent, avec ou sans transition, et au rythme de votre choix. Vous êtes tenté ? Alors lisez cette courte fiche pratique, qui ne nécessite aucun logiciel particulier.

1 Regroupez dans un dossier de votre disque dur les photos numériques que vous souhaitez voir défiler en tant qu'écran de veille. Avec le bouton droit, cliquez sur un endroit vierge du Bureau de Windows. Dans le menu contextuel qui s'affiche, choisissez la commande **Propriétés**.

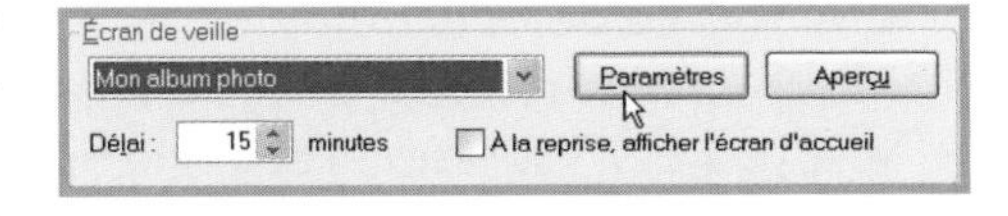

2 Dans la boîte de dialogue **Propriété de Affichage** qui s'ouvre, cliquez sur l'onglet **Écran de veille**. Sous la rubrique *Écran de veille*, sélectionnez *Mon album photo* dans la liste déroulante. Cliquez sur le bouton **Paramètres**.

3 Dans la boîte de dialogue **Option de l'écran de veille Mes images**, cliquez sur le bouton **Parcourir**, puis naviguez dans l'arborescence de votre disque dur à la recherche du dossier où sont stockées vos images numériques. Le dossier trouvé, cliquez sur OK.

4 Cochez la case *Agrandir les petites images*. Cette option permet d'adapter vos images à la taille de votre moniteur. Sachez que la notion de largeur prime sur la hauteur. Notez enfin que si vos images sont d'une trop petite taille, le fait de les agrandir va les pixelliser considérablement, altérant au passage leur qualité.

5 Le curseur *Combien de fois voulez-vous que les images changent ?* permet de définir un temps de passage à l'écran pour chacune de vos images. Vous avez le choix entre un débit bien cadencé (6 secondes par image) ou un rythme de « sénateur » (3 minutes par photo).

6 Portez le curseur *De quelle taille doivent être les images ?* à 100 %, c'est-à-dire complètement à droite, si vous souhaitez que vos images remplissent l'écran.

7 Cochez la case *Utiliser les effets de transition entre les images* si vous souhaitez que vos images se succèdent via des fondus, des balayages ou autres apparitions progressives. L'ordre de ces transitions est aléatoire. Cliquez sur OK.

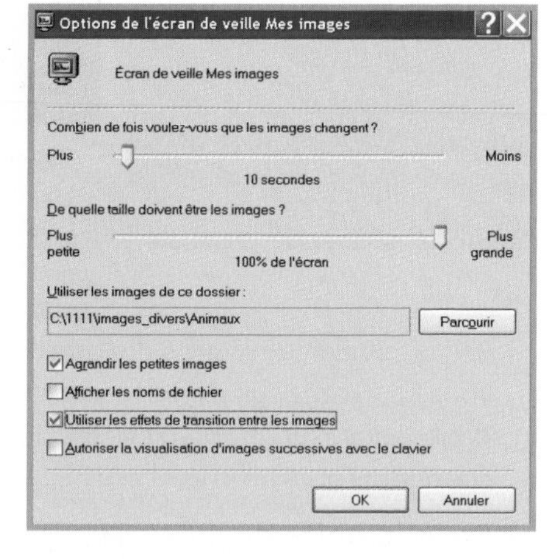

8 De retour dans la boîte de dialogue précédente, définissez un délai d'inactivité. Une fois ce délai écoulé, l'écran de veille composé de vos images se déclenche immédiatement. Vous pouvez choisir entre 1 et 9 999 minutes ! Donnez-vous un aperçu de ce que sera votre écran de veille personnalisé en cliquant sur le bouton **Aperçu**. Si cela vous convient, validez par OK. Voilà, vous venez de créer un écran de veille bien à vous et plus sympa que les canalisations 3D.

FICHE 10 Créer une galerie 3D

La 3D n'est plus une utopie pour les internautes et les créateurs de sites grâce à Photoshop Album, qui embarque une version allégée du logiciel Atmosphere d'Adobe. Automatisée, une création peut être mise en ligne ou gravée sur un CD-R. Êtes-vous prêt à impressionner vos proches ?

LISTE

Les fichiers du CD :

➤ 013.jpg ; 014.jpg ; 015.jpg ; 016.jpg ; 017.jpg ; 022.jpg ; 025.jpg ; 026.jpg.

Les outils utilisés :

➤ Sur Internet : Adobe Photoshop Album, *www.adobe.fr.*

I Sélectionnez dans l'interface de Photoshop Album les images qui composeront votre galerie en 3D. Les vignettes des photos doivent être entourées d'un cadre jaune. Pour sélectionner plusieurs images, appuyez sur Ctrl et cliquez sur chaque photo sans relâcher le bouton de la souris. Dès que vos images sont sélectionnées (attention : ce choix est définitif et il faut reprendre toute la création si vous en oubliez une), affichez l'interface **Guide pratique** via le menu **Aide/Guide pratique** (ou Maj+F1).

2 Cliquez sur l'onglet **Création**, puis sur le bouton *Galerie 3D Atmosphere*. C'est le début du processus de création de votre future galerie en trois dimensions. Vos images s'affichent sur la gauche de cette fenêtre. Une barre verticale de défilement permet de vérifier la présence des photos à intégrer à la création.

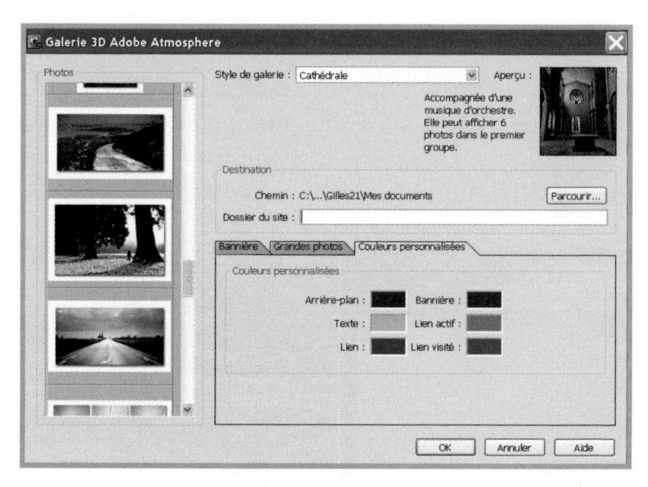

3 La liste déroulante *Style de galerie* propose dix univers de présentation. Du « playground » urbain à la maison champêtre, des mégalithes de Stonehenge à l'hacienda andalouse, ces environnements sont tous réussis. Une vignette vous donne un aperçu, complété par un court texte précisant le nombre de photos visibles par groupe. Ne vous souciez pas de cette limite : si vous disposez d'un grand nombre de photographies à exposer, Photoshop Album créera autant de groupes que nécessaire.

4 Il est temps de définir un emplacement de sauvegarde pour votre galerie. Cliquez sur le bouton **Parcourir** de la rubrique *Destination* puis sélectionnez un emplacement sur votre disque dur où sera créé le dossier contenant tous les fichiers de votre galerie. Par exemple, vous pou-

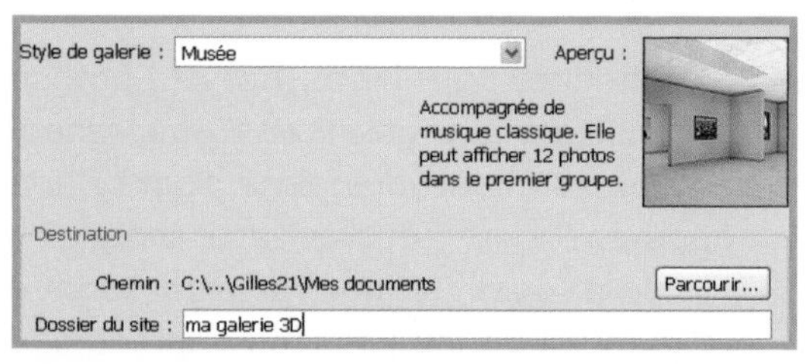

vez choisir le dossier *Mes documents*. L'emplacement étant défini, son chemin est affiché dans la rubrique *Destination*. Dans le champ *Dossier du site*, inscrivez un nom de dossier pour votre création : par exemple, *ma galerie 3D*. Vous retrouverez ainsi votre œuvre sur votre disque dur en suivant le chemin *C:\mes documents\ma galerie 3D*.

5 Vous disposez de trois onglets de présentation. Cliquez sur l'onglet **Bannière**. Tous les renseignements que vous fournirez ici figureront à droite de la fenêtre de visualisation de votre galerie et accompagneront vos visiteurs en permanence. Nommez votre galerie, indiquez l'adresse électronique du créateur et définissez la police de caractères ainsi que la taille de celle-ci.

6 Cliquez sur l'onglet **Grandes photos**. Dans la rubrique *Photos*, cochez la case *Photo redimensionnée* autorisant Atmosphere à adapter vos images au format de la galerie. Quatre tailles sont possibles : de *petites* à *très grande*. Notez que plus une image est grande, plus son poids de fichier est élevé. Un compromis équilibré entre qualité et poids de fichier est fourni par l'option *Moyenne*. Par ailleurs, le curseur de qualité, réglé au trois quarts, *Haute*, donne un beau rendu d'images sans trop les compresser.

7 Passons à la rubrique *Légendes*. Lorsqu'un ami visitera votre galerie en 3D, il aura la possibilité de cliquer sur chacune des images proposées. Dans la bannière, en lieu et place de vos informations personnelles, viendront s'afficher des informations diverses telles que le nom de fichier de l'image, sa légende (si elle en dispose d'une) et sa date de création. Vous pouvez donner à lire uniquement les légendes des images, préalablement rédigées dans Photoshop Album.

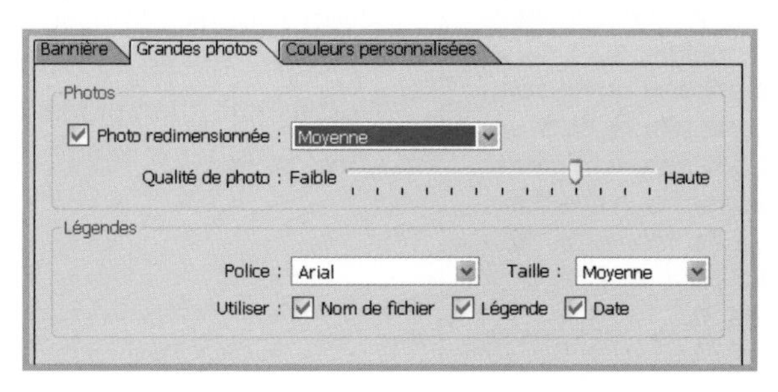

8 Le dernier onglet concerne les couleurs de votre bannière. En cliquant sur le carré de couleur en face de chaque élément de la galerie, vous faites apparaître un sélecteur de couleurs des plus classiques. Un conseil : choisissez des couleurs douces, voire neutres, de sorte à ne pas interférer sur l'essentiel de votre création, à savoir l'exposition de vos images dans une galerie 3D.

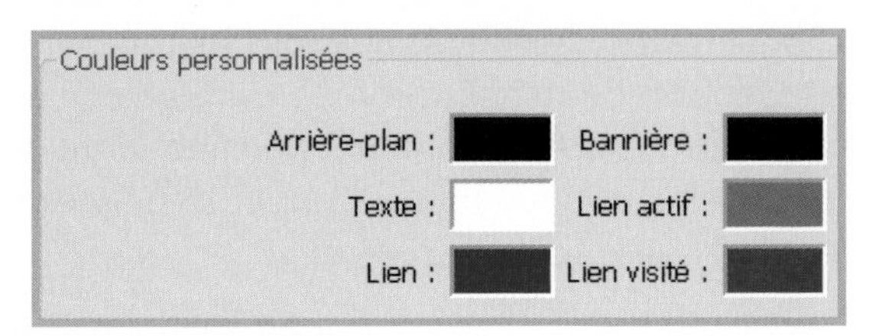

UN VRAI SITE WEB

Sans le savoir, vous venez de créer un site web. Si vous ouvrez le dossier de votre galerie 3D dans l'Explorateur de fichiers de Windows, vous vous apercevrez qu'il s'agit de fichiers HTML. Conclusion : il est possible de mettre ce site en ligne (attention toutefois au poids des fichiers) comme n'importe quelle page perso, et d'en communiquer l'adresse à vos proches ; en outre, si vous gravez cette galerie sur un CD-R pour la montrer à quelqu'un, cette personne n'aura qu'à lancer son navigateur Internet (hors connexion) et à double-cliquer sur le fichier *Index* de votre galerie pour accéder à votre univers 3D.

9 Cliquez sur OK. Photoshop Album crée la galerie en un temps record. Une fois achevée, celle-ci s'ouvre automatiquement. Laissez-lui le temps de tout installer. Dès qu'il apparaît, cliquez sur le bouton **Démarrer la visite guidée**. C'est parti ! Vous pouvez mettre un terme à la visite guidée à tout instant via le même bouton, et cliquer sur une image pour lire sa légende dans la bannière de droite. Vous pouvez également visiter manuellement la galerie avec votre souris. Enfin, sachez que le menu *Photo* en haut de la fenêtre de visualisation permet d'accéder aux groupes d'images suivants.

FICHE 11 Ajouter une légende audio à une image

Une image accompagnée d'une voix off ou d'une bande son… Un doux rêve ? Lancez donc Photoshop Album pour passer du rêve à la réalité. Attention : il est impératif de disposer d'une carte son et d'un micro pour suivre cette fiche.

LISTE

Les fichiers du CD :
➤ 005.jpg.

Les outils utilisés :
➤ Sur Internet : Adobe Photoshop Album, *www.adobe.fr.*

1 Affichez dans l'interface principale de Photoshop Album l'image à laquelle vous souhaitez associer une légende audio. Pour une meilleure ergonomie, choisissez le mode de visualisation *Une seule photo* (**Affichage/Taille/Une seule photo** ou Ctrl+3).

2 Cliquez sur le bouton symbolisé par un haut-parleur, situé à l'extrémité droite du champ *Légende*, sous les informations de taille et de poids de l'image. Ce bouton sert à lancer la console d'enregistrement de Photoshop Album. La boîte de dialogue **Sélectionner un fichier audio** s'ouvre.

3 Branchez votre micro sur la prise In de votre carte son. Approchez le micro à environ une dizaine de centimètres de votre

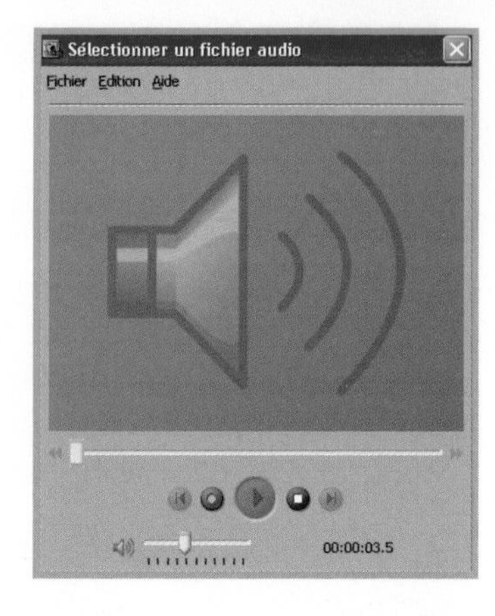

bouche, puis cliquez sur le bouton rouge **Enregistrement**. Instantanément, un compteur qui mesure votre temps de parole se déclenche. Tout ce que vous direz sera enregistré et associé à votre photo. Pour conclure l'enregistrement, cliquez sur le bouton **Arrêt**.

4 Pour écouter votre message, cliquez sur le bouton vert **Lecture**. Si cela vous convient, fermez cette boîte dialogue. Sinon, activez le menu **Edition/Effacer**, puis recommencez le message. De retour dans l'interface principale de Photoshop Album, affichez les propriétés de votre image via les touches Alt + Entrée. En face de la mention *Légende audio* figure le nom de fichier son qui vient d'être associé à votre image.

FORMAT AUDIO : ATTENTION AU POIDS !

Lorsque vous enregistrez un message de la façon décrite dans cette fiche, le fichier son est au format *.wav*, un format audio brut, non compressé, qui alourdira considérablement votre PDF final, augmentant de fait le temps d'acheminement du message vers son destinataire. Vous avez alors deux possibilités : enregistrer au format *.wav* un message très court, ou idéalement, encoder votre message au format compressé MP3.

FICHE 12 Définir une image comme papier peint du Bureau

Depuis les débuts de Windows, il a toujours été possible de choisir un motif de papier peint pour décorer le Bureau du système d'exploitation de Microsoft. Les dernières versions proposent des images très présentables, comparées aux assemblages de picots, briques et autres déprimants rivets qu'offraient les anciennes versions de Windows. Cependant, même si les papiers peints de XP sont gracieux, ils n'en sont pas moins impersonnels. Voici comment installer l'image de votre choix en arrière-plan du Bureau de Windows.

LISTE

Les fichiers du CD :

➤ 019.jpg.

Les outils utilisés :

➤ Sur Internet : Adobe Photoshop Album, *www.adobe.fr.*

1 Sélectionnez l'image qui fera office de papier peint. Activez le menu **Affichage/Propriétés** ou faites Alt+Entrée. Sur la droite de l'interface s'ouvre une fenêtre rassemblant toutes les caractéristiques techniques de la photographie sélectionnée, dont celle vraiment indispensable dans l'optique d'une création de papier peint : les dimensions

en pixels. Vous trouverez cette information inscrite sous le nom du fichier et sous son emplacement sur votre disque dur, à côté de la mention *Photo*. Les moniteurs les plus récents font 17 pouces. Leur taille d'affichage est de 1 024×768. Les moniteurs plus anciens de 15 pouces ont une taille d'affichage de 800×600 pixels. N'envisagez pas d'utiliser comme papier peint une image plus petite.

2 Pour établir une image en tant que papier peint du Bureau de Windows, Photoshop Album exécute une manipulation, aussi rapide qu'invisible, qui adapte l'image aux dimensions de votre écran. Si la taille de l'image numérique est supérieure ou égale à la taille du moniteur, le résultat est parfait en termes de qualité. Mais si la taille de l'image est inférieure à celle de l'écran, une déperdition de qualité se fait sentir, l'image devant être étirée pour remplir le cadre.

3 Votre image est conforme aux dimensions citées plus haut ? Dans ce cas, cliquez du bouton droit sur la photo. Dans le menu contextuel, choisissez **Définir comme papier peint du bureau**. Après un léger temps de calcul et d'optimisation, votre Bureau Windows affiche un arrière-plan personnalisé.

Faire bonne impression avec ses images

Avec l'affichage sur un moniteur d'ordinateur, l'impression est l'autre support principal des images numériques. Si le premier offre de nombreuses possibilités de présentation, le second n'est pas en reste : planches contacts, formats prédéfinis, cartes de vœux, décoration de CD et jaquettes de DVD, transferts sur textiles. Vous n'avez pas fini de faire tourner les rotatives de votre imprimante !

FICHE 13 Réaliser une planche contact

Excellent moyen de partager des images, la planche contact a été adoptée depuis longtemps par les professionnels de l'image et par les enseignes grand public qui l'ont rebaptisée « index ». Le processus automatisé que propose Photoshop Elements a ceci de formidable qu'il permet de créer une planche contact selon des besoins précis. Démonstration...

LISTE

Les outils utilisés :

➤ Sur le CD : Adobe Photoshop Elements 2.0, *www.adobe.fr*

1 Regroupez préalablement dans un dossier particulier, hors Photoshop Elements (dans l'Explorateur de fichiers de Windows par exemple), toutes les images que vous destinez à votre planche contact. Une fois le dossier créé et rempli de vos images, activez le menu **Fichier/Dispositions d'impression/Planche contact**.

2 S'ouvre la seule boîte de dialogue du processus de création. Dans la rubrique *Dossier Source*, recherchez, via le bouton **Parcourir**, le dossier dans lequel vous avez regroupé vos images.

3 La rubrique *Document* vous permet de définir les dimensions de votre planche contact. Ce que Photoshop Elements nomme « document » n'est pas votre feuille de papier, mais le fichier (l'image) que vous êtes en train de créer. Attention donc à la marge habituelle que s'octroient les imprimantes lors de l'impression !

Par exemple, pour imprimer cette planche sur une feuille au format A4, entrez les valeurs suivantes : *Largeur = 19 cm* et *Hauteur = 27*. Ainsi, les images en bord de cadre ne seront pas rognées par la marge de votre imprimante.

Puisqu'il s'agit d'une impression, réglez la *Résolution* à *300 pixels/pouce*. Quant au mode colorimétrique, choisissez *Couleurs RVB* (le mode *Niveau de gris* fait basculer les images en noir et blanc). Enfin, cochez la case *Aplatir tous les calques*.

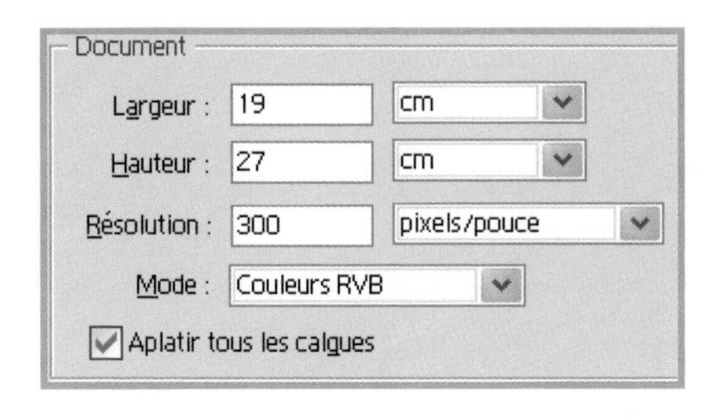

4 La rubrique *Vignettes* permet de configurer l'apparence de votre planche contact. Via la liste déroulante *Importer*, choisissez le sens de lecture de votre planche : de gauche à droite (option *Horizontalement en premier*) ou de haut en bas (option *Verticalement en premier*). Ensuite, du nombre de vos images dépend le nombre de colonnes et de rangées. Vous pouvez faire tenir toutes vos images sur une seule feuille (elles auront des dimensions réduites) ou maintenir une taille d'impression correcte, auquel cas une nouvelle feuille sera automatiquement créée, si besoin est. Aidez-vous de l'aperçu pour configurer votre feuille.

PAR E-MAIL AUSSI !

Si vous souhaitez envoyer cette planche contact par e-mail, afin que le destinataire fasse un choix d'images, diminuez la valeur de résolution de 300 ppp à 72 ppp. Le fichier final sera moins lourd.

5 Avant de lancer la procédure de création, vous pouvez choisir d'intégrer le nom de chacune de vos images, sous la vignette correspondante. Sélectionnez la police et un corps fin (8 ou 9).

6 Lancez la création de votre planche via le bouton OK. Photoshop Elements s'occupe de tout, de la mise à niveau de la résolution de vos images, à leur emplacement sur la feuille… Il ne vous reste plus qu'à imprimer.

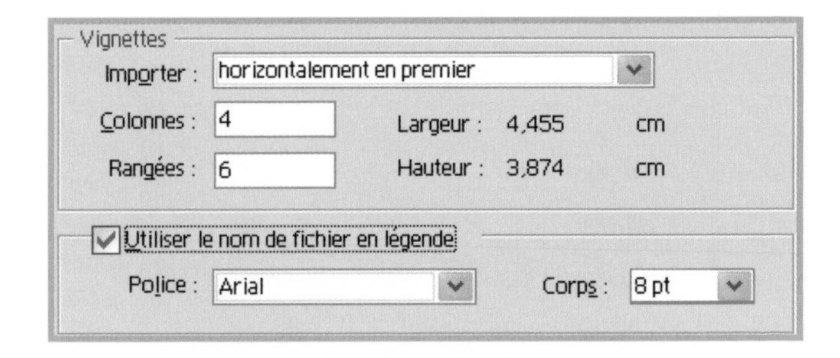

FICHE 14 Imprimer des photos d'identité

Carte de cantine, licence du club de foot, carte de transports, etc. Le nombre de photos d'identité à fournir chaque année est important. Au lieu de courir au centre commercial voisin pour y dénicher un photomaton, que diriez-vous d'utiliser votre appareil photo numérique, votre imprimante et les quelques conseils qui suivent... pour économiser du temps et de l'argent ?

LISTE

Les outils utilisés :

➤ Sur le CD : Adobe Photoshop Elements 2.0, *www.adobe.fr.*

1 Munissez-vous d'une photo. Cadrez la personne de façon à englober le sommet de son crâne et la naissance de son buste. Photographiez-la devant un arrière plan neutre, sous une lumière douce et diffuse, idéalement sans flash. Éloignez-vous de votre sujet, quitte à zoomer avec votre appareil, pour éviter les perspectives déformées d'un grand angle. Prenez plusieurs clichés et importez-les dans Photoshop Elements 2.0. Faites votre choix et conservez ouverte à l'écran uniquement la photo définitive.

2 Activez le menu **Fichier/Dispositions d'impression/Collection d'images**. Dans la rubrique *Source*, déroulez la liste *Utiliser* et sélectionnez l'option *Document de premier plan* (l'image ouverte dans Photoshop Elements).

3 Passez à la rubrique *Document*. Laissez la liste *Format* sur l'option *8.0× 10.0 pouces*. Sélectionnez, dans la liste *Disposition*, l'option *(20) 2×2*. Un aperçu de l'agencement de votre futur document s'affiche sur la droite de la boîte de dialogue. Pour information, *(20)* correspond au nombre de miniatures et *2×2* est la taille de chacune d'entre elles en pouces, soit une photo d'identité de 5×4 cm environ. Définissez la résolution de ce document en saisissant une valeur de *300 pixels/pouce*. Le mode est *RVB*. Cochez la case *Aplatir tous les calques*.

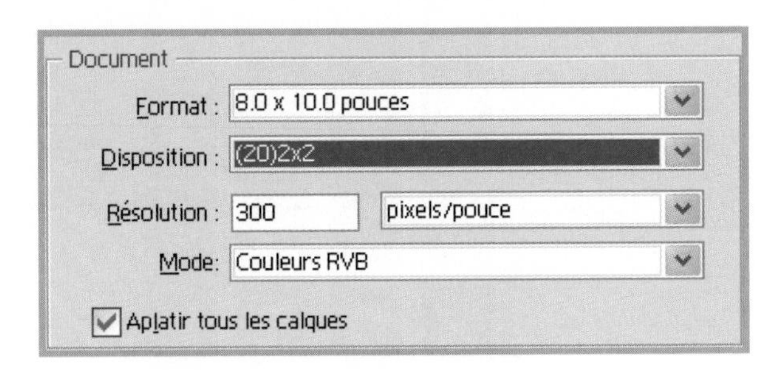

4 La rubrique *Libellé* n'est ici d'aucune utilité. Comme vous voulez imprimer des photos d'identité, il est inutile d'inscrire le nom du fichier sous chacune des vingt images. Par conséquent, sélectionnez l'option *Sans* dans la liste *Contenu*. Cliquez sur OK.

5 Patientez le temps que Photoshop Elements travaille… Il ne vous reste plus qu'à imprimer sur du papier photo le document *Collection d'images* qui vient d'être créé. À vos ciseaux !

FICHE 15 Imprimer en faisant des économies

Nous avons tous été confronté au problème suivant lors d'une impression : d'un côté une photo classique de dix centimètres par quinze, de l'autre une feuille de papier format A4. Lorsque vous imprimez cette image sur une feuille, le logiciel d'impression centre la photo. Résultat : vous gâchez du papier. C'est non seulement dommage, mais à la longue, si vous imprimez souvent, cela devient onéreux. Voici un procédé économique et automatisé qui séduira les petits budgets. L'exercice consiste à imprimer quatre photos sur une unique feuille, chaque image ayant des dimensions d'environ 12×8 cm.

LISTE

Les outils utilisés :

- Sur le CD : Adobe Photoshop Elements 2.0, *www.adobe.fr.*

I Sans ouvrir une image dans l'interface de Photoshop Elements, activez le menu **Fichier/Dispositions d'impression/Collection d'images**.

2 Dans la rubrique *Document*, laissez la liste *Format* sur *8.0× 10.0 pouces* et réglez la liste *Disposition* sur *(4) 4×5*. Instantanément, l'aperçu avant impression, sur la droite de la boîte de dialogue **Collection d'images**, dispose quatre emplacements encore vierges. Définissez une résolution de *300 pixels/pouces*, un mode colorimétrique *Couleurs RVB* et cochez la case *Aplatir tous les calques*.

Document
Format : 8.0 x 10.0 pouces
Disposition : (4)4x5
Résolution : 300 pixels/pouce
Mode: Couleurs RVB
Aplatir tous les calques

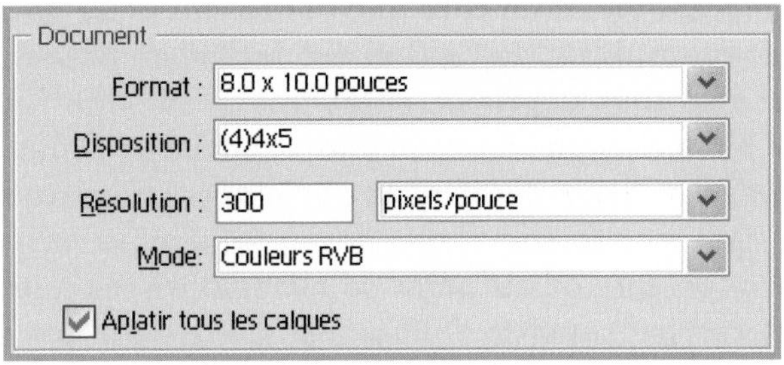

3 Dans la rubrique *Source*, positionnez la liste *Utiliser* sur l'option *Fichier*. Cliquez dans l'un des quatre emplacements. Une boîte de dialogue nommée **Sélectionner un fichier image** s'ouvre, vous permettant de naviguer dans votre disque dur à la recherche de la première des quatre images à imprimer. Une fois l'image sélectionnée, cliquez sur **Ouvrir**. Conséquence immédiate : l'image occupe le premier emplacement.

4 Répétez cette opération (au besoin en allant chercher les images dans d'autres dossiers) pour compléter votre collection d'images. La liste *Contenu* de la rubrique *Libellé* doit rester sur l'option *Sans*. Ainsi, aucun texte ne viendra s'ajouter à vos images. Cliquez sur OK. Notez que si une image ne vous convient plus, cliquez dessus pour la remplacer par une autre.

5 Photoshop Elements crée alors automatiquement un nouveau document intitulé *Collection d'images*. Il vous appartient de l'imprimer. Si vous faites Ctrl+P pour lancer un aperçu avant impression, le document créé prend en compte la marge nécessaire à toute imprimante, de façon à ne pas rogner sur les bords des images.

FICHE 16 Concevoir une carte de vœux

Les premiers jours de l'année sont rituellement marqués par des envois de cartes de vœux. De nombreuses autres occasions sont également propices à l'envoi de ces cartes. Et si cette fois, vous vous décidiez pour des cartes vraiment personnelles, illustrées d'une image de votre collection et du texte de votre choix ? Comme vous le verrez dans cette fiche, rien n'est plus simple !

1 Lancez Photoshop Album. Dans la barre d'outils du logiciel, cliquez sur le bouton Créer. S'ouvre alors l'espace de travail. Il est possible que des images soient déjà présentes (elles ont peut-être servi pour des créations précédentes). Pour votre carte de vœux, une seule image sera nécessaire. Faites glisser les images superflues dans la Corbeille (elles ne seront pas supprimées du disque dur, rassurez-vous !). Importez l'image choisie pour la carte de vœux en la faisant glisser depuis l'interface jusque dans l'espace de travail. Choisissez plutôt une image de haute résolution (*300 ppp*) de manière à obtenir une

impression de bonne qualité. Cliquez sur le bouton **Lancer l'assistant de création**.

2 Sélectionnez le modèle de carte de vœux, parmi les vingt-deux modèles que vous proposent Photoshop Album, puis cliquez sur **Suivant**. La carte qui illustre cette fiche a été réalisée avec le modèle *Moderne à la verticale*. Votre choix fait, cliquez sur **Suivant**.

3 Rédigez le titre de la carte. Celui-ci apparaîtra sur la première des deux pages, sous l'image sélectionnée. Précisez le caractère événementiel des vœux que vous souhaitez et un message d'accompagnement (cela apparaîtra sur la seconde page). Cliquez sur **Suivant**, une fois tous les champs remplis.

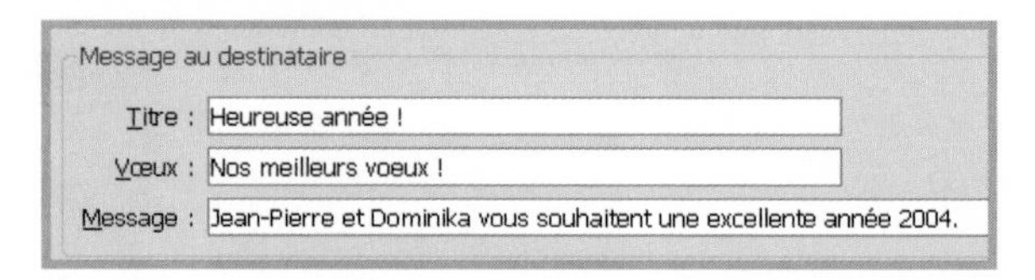

4 Un aperçu est donné dans la fenêtre qui vient de s'ouvrir. Vous pouvez élargir cet aperçu en cliquant sur le bouton **Aperçu plein écran**. Une fois en mode Plein écran, revenez à l'interface de création via la croix rouge de fermeture. Le bouton **Réorganiser les photos** vous fait revenir à l'espace de travail de manière à sélectionner, le cas échéant, une autre image pour illustrer votre carte de vœux. Mais si tout vous convient, cliquez sur le bouton **Suivant**.

5 Dans cette dernière étape du processus de création, sélectionnez la fonction **Imprimer** de la rubrique *Options de sortie*. L'interface habituelle de votre imprimante s'affiche. Glissez une feuille de papier pouvant être imprimée recto verso. Imprimez d'abord la page 1, puis la page 2.

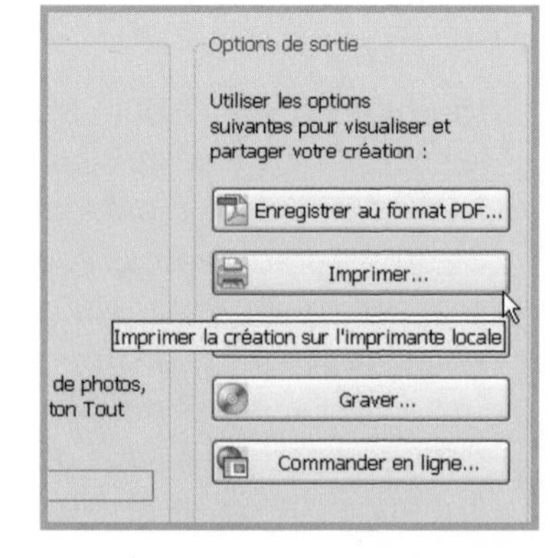

FICHE 17 Créer un calendrier

Cette année, vous avez envie d'afficher un calendrier vraiment à part, composé de vos images, plutôt que l'éternel calendrier des postes ou celui des pompiers ? C'est parfaitement possible avec Photoshop Album. Il suffit pour cela de préparer treize images (la page de garde + les douze mois de l'année) et de respecter le processus de création qui suit.

novembre *2004*

dim.	*lun.*	*mar.*	*mer.*	*jeu.*	*ven.*	*sam.*
	1	*2*	*3*	*4*	*5*	*6*
7	*8*	*9*	*10*	*11*	*12*	*13*
14	*15*	*16*	*17*	*18*	*19*	*20*
21	*22*	*23*	*24*	*25*	*26*	*27*
28	*29*	*30*				

LISTE 

Les fichiers du CD :

➤ 031.jpg ; 032.jpg ; 037.jpg ; 043.jp ; 044.jpg ; 045.jpg ; 046.jpg ; 047.jpg ; 048.jpg ; 049.jpg ; 050.jpg ; 051.jpg ; 052.jpg.

Les outils utilisés :

➤ Sur Internet : Adobe Photoshop Album, *www.adobe.fr.*

1 Sélectionnez depuis l'interface de Photoshop Album les treize images qui illustreront votre futur calendrier. Activez le menu **Affichage/Espace de travail**. Débarrassez-vous, le cas échéant, des images déjà présentes à l'écran en les faisant glisser dans

la Corbeille, puis déposez les images de votre calendrier dans l'espace de travail.

2 Définissez l'ordre des images en fonction des mois de l'année. Cette opération est faisable ultérieurement, mais elle fait perdre du temps : autant procéder à cet agencement tout de suite ! Rappel : la première image ne représente pas un mois, mais illustre la page de garde de votre calendrier. Déplacez chaque image en fonction du mois qu'elle représente. Lorsque vous faites glisser une image à sa bonne position, celle-ci est accompagnée d'une barre verticale jaune qui indique l'emplacement où elle figurera. Pour vous aider, reportez-vous aux numéros figurant sur les vignettes. Vos images étant en rapport avec les mois de l'année, cliquez sur le bouton **Lancer l'Assistant de création**.

3 Choisissez le modèle de création *Calendrier* puis cliquez sur le bouton **Suivant**. Sélectionnez un des six modèles de calendriers proposés par Photoshop Album. Prenez garde au positionnement général de vos images. Ainsi, une majorité de photos en mode Paysage sont mises en valeur avec un modèle dit « à la verticale » et une majorité d'images en mode Portrait sont plus élégamment présentées avec un modèle

« à l'horizontale ». Votre choix effectué, cliquez sur le bouton **Suivant**.

4 Un champ nommé *Titre* vous permet d'attribuer une appellation générique pour votre calendrier. Celle-ci viendra s'ajouter sous l'image prévue pour la page de garde. Vous pouvez choisir de pas titrer votre création ; auquel cas, désélectionnez la case *Titre* (seule la photo sera visible). La rubrique *Options de calendrier* vous permet de choisir l'étendue de l'année que vous souhaitez couvrir. À chaque mois, correspondent une page et une image. Notez que Photoshop Album permet de créer les futurs calendriers, jusqu'à l'année 2011, mais pas au-delà ! Enfin, pour que les légendes des images (si elles existent) figurent sous les photos, cochez la case *Inclure les légendes*. Cliquez sur **Suivant**.

Personnaliser votre Calendrier
Etape : 1 2 3 4 5

Inclure la page de titre

☑ Titre : 2004, une année en images

Options de calendrier

Début : janvier 2004

Fin : décembre 2004

☑ Inclure les légendes

5 N'hésitez pas à visualiser sur grand écran votre calendrier. Cliquez, pour ce faire, sur le bouton **Aperçu plein écran** et faites défiler les pages avec la console de lecture du mode Plein écran. Ce que vous voyez sera très proche de la réalité, une fois votre création imprimée. Le bouton **Réorganiser les photos** permet de définir un ordre de passage différent. Vous retournez, dans ce cas, dans l'espace de travail, où vous

pouvez déplacer des images, voire remplacer celles qui ne vous conviennent plus. De retour dans l'assistant de création, cliquez sur le bouton **Suivant**.

6 Dans la rubrique *Options de sortie*, cliquez sur **Imprimer**. L'interface de votre imprimante s'affiche. Insérez les treize feuilles (une page plus épaisse pour la page de garde est recommandée) puis lancez la procédure d'impression. Il ne vous reste plus qu'à relier les pages entre elles. Votre calendrier est, par ailleurs, sauvegardé dans Photoshop Album sous le même nom que sa page de garde. Ainsi, en cas de besoin, vous pourrez imprimer une nouvelle fois votre calendrier, ou une seule page si l'une d'entre elles est détériorée (revenez dans ce cas à l'étape 4 et définissez un même mois de début et de fin, en prenant garde de n'imprimer que la page 2 de votre création).

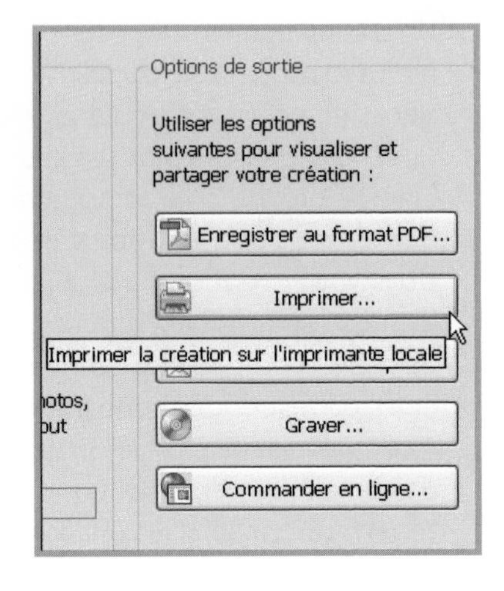

FICHE 18 Créer un album d'images

Suivant le même processus de création que le calendrier, à quelques nuances près, la fabrication d'un album photos sous Photoshop Album permet d'imprimer des images selon plusieurs modèles toujours très élégants. Le nombre d'images n'est pas limité, les seules limites étant celles de votre imprimante et de votre fond d'images. Pour cette fiche, vous créerez un album photos où figureront parfois plusieurs clichés sur la même page.

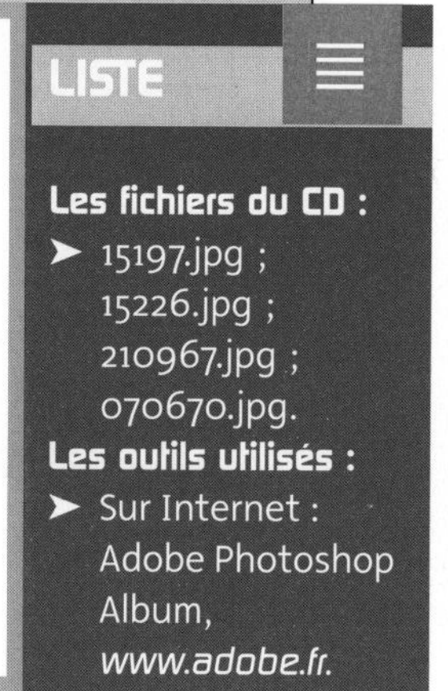

| Sélectionnez les images qui composeront votre album depuis l'interface principale de Photoshop Album. Faites Ctrl+W pour ouvrir l'espace de travail. Déposez les images sélectionnées dans l'espace de travail, sans oublier de mettre à la Corbeille celles ayant servi à des précédentes créations. Cliquez sur **Lancer l'assistant de création**.

2 Sélectionnez le modèle *Album Photo* puis cliquez sur **Suivant**. Trois familles de modèles sont disponibles : *Photo uniquement*, *Moderne* et *Traditionnel*. Ces modèles sont strictement identiques d'une famille à une autre. Voici quelques conseils pour faire votre choix : le mode *1 photo par page* demande des images d'excellente qualité et de haute résolution (elles seront imprimées sur une pleine page), les modes *Composite* (des images de tailles différentes) affichent parfois de très petites images, notamment en ce qui concerne les pages réunissant jusqu'à quatre photographies. Pour cet exercice, choisissez le mode *4 Photos par page*, qui ressemble aux albums traditionnels. Cliquez sur **Suivant**.

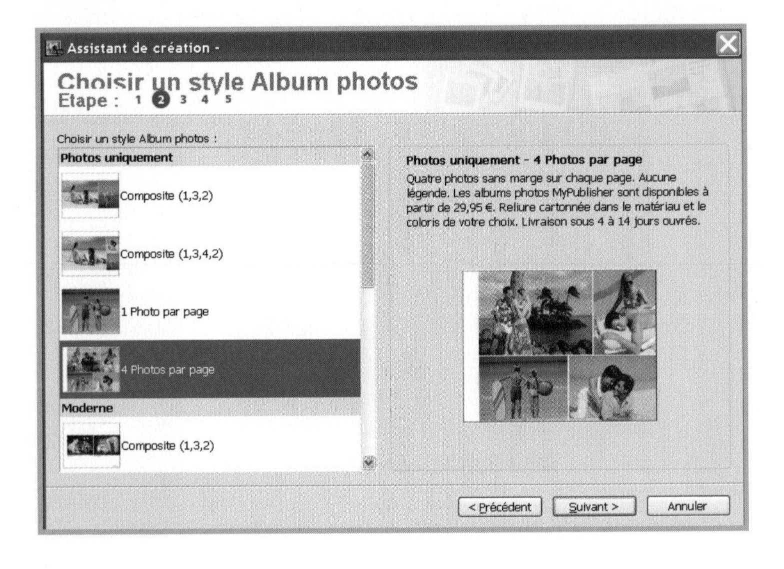

3 La rubrique *Options de livre* vous propose de donner un titre à votre album (ainsi qu'un sous-titre) et de préciser le nom des auteurs des images. Dans la rubrique *Pages centrales* (soit toutes les pages sauf la couverture), vous pouvez choisir d'imprimer ou non les légendes attribuées à vos photos dans Photoshop Album. Il vous est proposé d'inclure, ou non, un numéro de page. Notez qu'avec certains modèles, vous avez la possibilité de rédiger un texte qui viendra se placer en pied de page. Attention toutefois à ne pas trop charger l'album d'images. Cliquez sur **Suivant**.

Pages centrales

- [ ] En-tête :
- [x] Pied de page : Saint-Barth, 2003... le bonheur.
- [x] Inclure les légendes
- [x] Inclure les numéros de page

4 La fenêtre d'aperçu avant impression permet de revenir à l'espace de travail afin de modifier la disposition des images. Notez que le numéro d'une image dans l'espace de travail correspond à son emplacement chronologique dans la création en cours. Dès lors que votre album vous satisfait, cliquez sur **Suivant**. Attribuez-lui un nom afin de pouvoir le sauvegarder par la suite, ce qui sera fort utile pour remplacer ou ajouter de nouvelles pages. Lancez la procédure d'impression en cliquant sur le bouton *Imprimer* de la rubrique *Options de sortie*.

FICHE 19 Imprimer une image sur un tee-shirt

Il est très tendance d'avoir un vêtement unique au monde. Pour décorer un tee-shirt (par exemple) de façon personnalisée, vous avez besoin de quelques outils indispensables : un logiciel de traitement d'images, du papier transfert pour textiles clairs signé Micro Application et... un fer à repasser. Une partie seulement de l'image utilisée dans cette fiche sera conservée. Vous la ferez glisser dans un nouveau document à fond transparent et joindrez un texte, en prenant garde de ne pas tomber dans le piège classique : l'oubli du miroir. Il faut choisir, de préférence, une image de haute résolution.

LISTE

Les fichiers du CD :

➤ 15336.jpg.

Les outils utilisés :

➤ Sur le CD : Adobe Photoshop Elements 2.0, *www.adobe.fr.*

I Faites glisser dans l'interface l'image dont une partie sera imprimée sur le papier transfert. Ouvrez un nouveau document (menu **Fichier/Nouveau**), puis sélectionnez le format prédéfini *A4* (taille du papier transfert), une résolution de *300 pixels par pouce*, le mode colorimétrique *RVB* et le mode de « remplissage » *transparent*. Cliquez sur OK.

2 À l'aide de l'outil **Déplacement** (V), faites glisser l'image à imprimer sur le document transparent et positionnez-le au centre et en bas du nouveau document. Sélectionnez l'outil **Gomme** (E). À l'aide d'une gomme de type *Arrondi flou* d'une épaisseur d'environ *300 pixels*, en mode *Forme*, avec une opacité de *100 %*, supprimez les bords du *Calque 2* (l'image importée). Vous pourrez par la suite augmenter la taille du calque en faisant Ctrl+T, et en étirant les poignées de redimensionnement, la touche Maj enfoncée pour conserver les proportions.

3 Sélectionnez l'outil **Texte** (T), une police de caractères qui change de l'ordinaire (*Comic sans MS*, *Curlz MT*, *John Handy*, *Jokerman*, *la Bamba*, ou celle utilisée dan cet exemple : *One stroke script*). Définissez une taille de caractères d'environ *70 pt* et cliquez sur l'icône *Créer un texte déformé*. S'ouvre alors une boîte de dialogue. Sélectionnez le style *Arche*, en mode *Horizontal*. Les paramètres de ce style sont les sui-

vants : *Inflexion* = *+80 %*, *Déformation horizontale* = *0*, *Déformation verticale* = *-50 %*. Validez par OK. Pour finir, vous pouvez attribuer une couleur différente à chaque lettre, en vous basant éventuellement sur les couleurs présentes dans l'image. Sélectionnez une lettre, puis cliquez dans le carré de couleur de la barre d'options de l'outil **Texte**. À l'aide de la pipette, allez chercher une couleur dans l'image, puis validez par OK.

4 Passons au fameux effet miroir, qu'il ne faut en aucun cas oublier pour obtenir un transfert lisible. Sélectionnez le *Calque 2* (l'image) puis activez le menu **Image/Rotation/Symétrie horizontale du calque**.

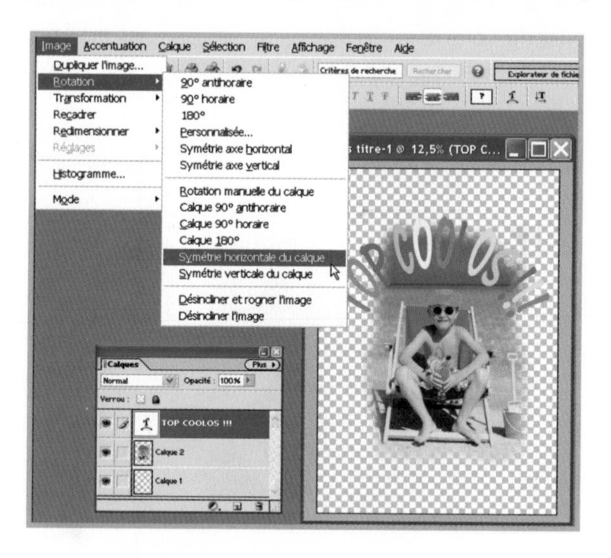

5 Répétez cette opération pour le calque de texte.

6 Vous pouvez sauvegarder votre document au format *PSD* et lancer une impression « test » sur papier ordinaire pour vérifier que tout est conforme à vos attentes. Si tel est le cas, imprimez l'image sur le papier transfert de Micro Application. Pour les conseils de repassage, consultez la notice !

FICHE 20 Donner vie aux CD et DVD

Graver des CD ou des DVD est une pratique courante. Les disques gravés ont tendance à s'accumuler sur les étagères, avec pour seuls signes distinctifs quelques lettres manuscrites rédigées au feutre indélébile. Pourquoi ne pas embellir votre collection de CD gravés à l'aide d'un papier spécialement prévu à cet effet ? Micro Application propose, sous les références « Étiquette CD Qualité photo » et « Jaquettes pour boîtier DVD Qualité Photo », des papiers de qualité, prédécoupés, qui attendent de passer sous les buses de votre imprimante à jet d'encre. Vous allez utiliser Photoshop Elements pour préparer les étiquettes de CD, et Word pour les DVD. Notez que le CD qui accompagne cet ouvrage met à votre disposition les gabarits à ouvrir dans les logiciels mentionnés.

LISTE

Les fichiers du CD :

- 5048.psd ;
- Gab 5059 Paysage.doc.

Les outils utilisés :

- Sur le CD : Adobe Photoshop Elements 2.0, *www.adobe.fr* ;
- Sur Inernet : Word, *www.microsoft.fr.*

ÉTAPE 1 Des CD avec leurs étiquettes

1 Ouvrez le fichier gabarit correspondant aux étiquettes CD, nommé *5048.psd*, dans Photoshop Elements. Le gabarit étant prédéfini, la tâche s'en trouve simplifiée. Vous verrez juste comment éviter de consommer de l'encre inutilement. Ouvrez la palette *Calques* (**Fenêtre/Calques**). Vous constatez que les deux supports pour CD sont des calques. Ouvrez l'image qui ornera le CD du haut, puis sélectionnez l'outil **Déplacement** (V).

2 Sélectionnez le *Calque 2* dans la palette (qui correspond au CD du haut), puis faites glisser l'image sur le fichier *5048.psd*. L'image (en réalité le *Calque 3*) couvre la délimitation du CD. Positionnez-la correctement sur son support. Si elle est trop grande, utilisez les poignées de redimensionnement. Pour respecter les proportions de l'image, redimensionnez en appuyant sur Maj. À ce stade, si vous lancez l'impression de ce fichier, toute l'image, y compris les parties ne figurant pas sur l'étiquette du CD, seront imprimées. Vous allez remédier à ce problème.

3 Sélectionnez le *Calque 2* dans la palette *Calques*, puis, tout en appuyant sur Ctrl, cliquez sur *Calque 2* dans la palette. Le calque en question apparaît sous la forme d'une sélection. Faites Ctrl+Maj+I pour inverser cette sélection.

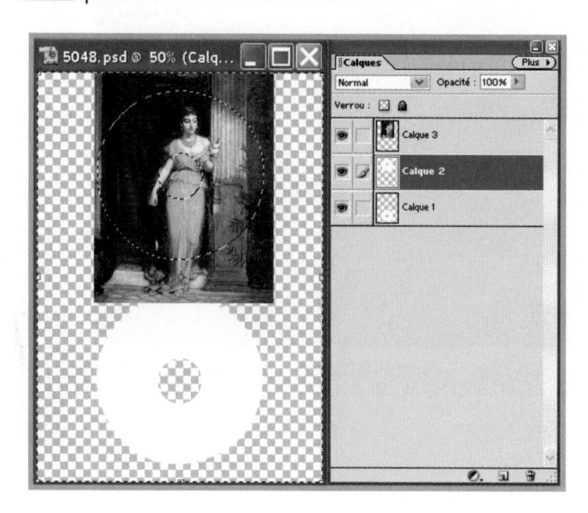

4 Sélectionnez le *Calque 3* et appuyez sur Suppr. Désormais, seule la surface nécessaire sera imprimée. L'opération est identique pour le support CD du bas (*Calque 1*).

ÉTAPE 2 Des DVD avec leurs jaquettes

5 Lancez Word. Selon le format de l'image que vous souhaitez imprimer, choisissez le gabarit qui convient, soit le mode Portrait, soit le mode Paysage. Dans cet exercice, optez pour ce dernier mode. Cliquez sur l'icône *Centré* de la barre d'outils générale de Word. Activez le menu **Affichage/Barres d'outils/Image**. Cliquez sur l'icône *Insérer une image*. Parcourez votre disque dur à la recherche de la photo destinée à illustrer votre jaquette. Validez votre choix en cliquant sur **Insérer**.

6 L'image se positionne par défaut. Dans la barre d'outils *Image*, cliquez sur l'icône *Habillage du texte* et sélectionnez l'option *Derrière le texte*. Remarquez le pointeur de la souris : quand il est au-dessus de l'image, il permet de déplacer celle-ci. Placez l'image à un angle du gabarit, puis à l'aide des poignées de redimensionnement, étirez l'image de manière à lui faire épouser l'intégralité du gabarit.

ATTENTION AUX MARGES !

Votre imprimante peut vous jouer un vilain tour. Même si le calibrage des CD et des jaquettes pour DVD correspond parfaitement aux mesures des supports concernés, votre imprimante risque de décaler l'impression. Cet obstacle est contournable puisqu'il suffit de changer les paramètres par défaut de l'imprimante. Reportez-vous au manuel de votre périphérique et, surtout, faites des essais de calibrage avec la feuille prévue à cet effet dans les packs papiers créatifs de Micro Application.

7 Désélectionnez l'image en cliquant sur une partie vierge du fichier, puis rédigez le texte de présentation de votre DVD. Utilisez les outils de positionnement, de couleur et de taille, comme vous le faites habituellement avec votre traitement de texte. Placez ensuite votre feuille prédécoupée Micro Application dans votre imprimante et lancez la procédure d'impression en choisissant une qualité maximale pour papier photo.

FICHE 21 De l'appareil à l'imprimante

Voici une fiche qui comblera les plus impatients... Il s'agit d'imprimer des images le plus vite possible après la prise de vue. Une fois les photos dans la boîte, vous allez connecter l'appareil numérique à votre ordinateur et lancer Photo Impression, le logiciel de Micro Application disponible sur le CD-Rom accompagnant cet ouvrage. En quelques clics, vous imprimerez vos images à la taille voulue.

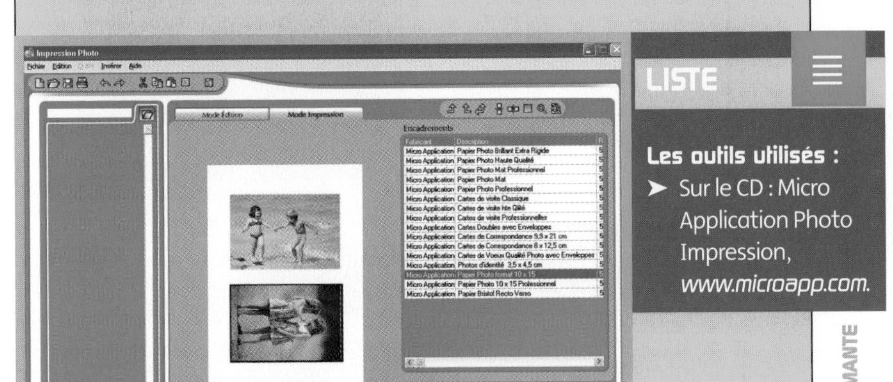

LISTE

Les outils utilisés :

➤ Sur le CD : Micro Application Photo Impression, *www.microapp.com.*

I Lancez le logiciel d'impression via le menu **Démarrer** de Windows. Une première boîte de dialogue vous propose de débuter un *nouveau projet* ou de poursuivre un *projet existant*. Sélectionnez la première option et cliquez sur **Valider**. Activez le menu **Insérer/À partir d'un disque**. S'ouvre alors la fenêtre **Aperçu image**. Votre appareil photo numérique, connecté à l'ordinateur et mis sous tension, est reconnu par le logiciel et apparaît sous son nom dans l'arborescence de gauche. Parcourez la carte mémoire de votre appareil. Les icônes de vos images au format JPG s'affichent. Cliquez sur l'une d'entre elles : l'image apparaît dans la fenêtre d'aperçu de droite.

2 Quand une image vous paraît digne d'être imprimée, cliquez sur le bouton **Ajouter**. Une vignette de l'image sélectionnée apparaît dans une barre horizontale, au bas de l'interface. Cette barre simule l'album que vous êtes en train de concevoir. Procédez de la même manière pour intégrer des images à votre album. Votre sélection d'images est terminée ? Cliquez sur **Valider** pour fermer la fenêtre d'aperçu.

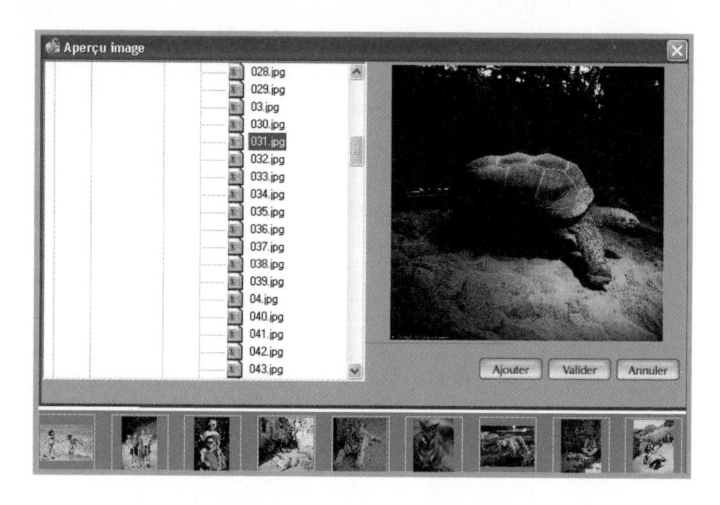

3 Dans l'interface principale de Photo Impression, cliquez sur l'onglet **Mode impression**. Sur votre droite apparaît une longue liste de formats d'impression relatifs aux papiers créatifs édités par Micro Application. Sélectionnez *Papier photo format 10×15*. La page blanche au centre se remplit de deux pointillés simulant l'emplacement des images à imprimer. Ces emplacements sont aux justes dimensions.

4 Faites glisser la première image de votre album dans l'emplacement du haut. L'image prend place et s'adapte au format sélectionné. Procédez de la même manière pour la deuxième image. Une étiquette *Nouvelle page* apparaît. Faites glisser la troisième photo sur cette étiquette : une nouvelle page se crée, avec des emplacements prédéfinis. Répétez cette opération jusqu'à intégrer toutes vos

images. Une image prise en mode Portrait (c'est-à-dire avec l'appareil orienté à la verticale) intègre l'album en conservant le sens initial de la prise de vue ; pour la faire pivoter dans le sens de l'impression, sélectionnez-la et cliquez sur l'onglet **Mode édition**. Cliquez sur l'un des deux boutons de rotation disponibles dans la barre d'outils. La rotation effectuée, cliquez sur l'onglet **Mode Impression**.

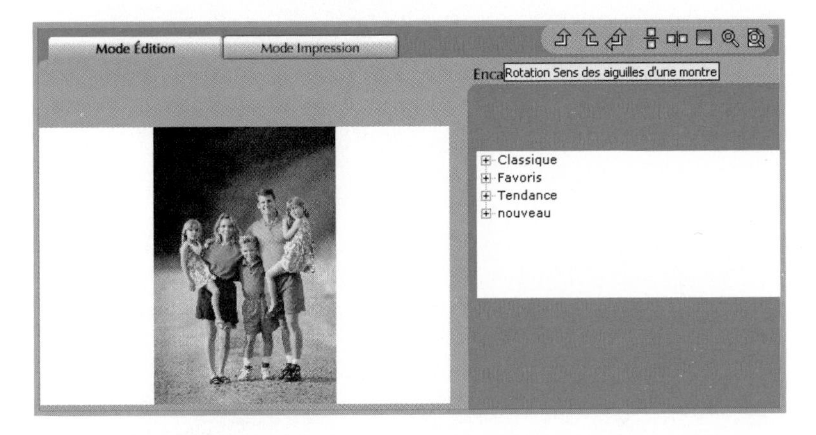

5 Sous la fenêtre d'aperçu de votre album s'affiche le nombre de pages à imprimer. Insérez autant de feuilles que nécessaire dans votre imprimante. Cliquez sur le bouton **Imprimer** et choisissez une qualité d'image maximale.

Faire admirer ses photos

Ne gardez pas jalousement vos images sur votre disque dur. Vos photographies sont belles, donnez à vos proches la possibilité de les admirer ! Internet est un vecteur essentiel du partage des images. Par e-mail, au format PDF ou sur un vrai site web de haute qualité, vous trouverez dans les fiches qui suivent toutes les solutions pour partager vos plus belles images avec votre entourage.

FICHE 22 Envoyer une image haute résolution par e-mail

Vous disposez d'un appareil photo numérique permettant de prendre des clichés en haute résolution. Ces images brutes ont un certain poids. Or, vous ne disposez d'aucun outil pour les optimiser. Votre correspondant étant équipé d'une connexion web d'un débit moyen de 56 Kbit/s, votre image doit suivre un sérieux régime minceur pour que le transport par e-mail ne soit pas trop long. Vous allez tout d'abord sélectionner l'image en question, puis définir des paramètres d'envoi, ajuster des valeurs de taille, de poids et de qualité, puis finalement envoyer votre œuvre via votre messagerie habituelle. Vos correspondants apprécieront…

LISTE

Les fichiers du CD :

➤ 073.jpg.

Les outils utilisés :

➤ Sur Internet : Adobe Photoshop Album, *www.adobe.fr.*

ÉTAPE 1 Sélectionner l'image

1 Sélectionnez l'image que vous souhaitez envoyer par e-mail. Dans cet exemple, le cliché est au format TIFF, non compressé (de nombreux appareils photo numériques proposent ce type d'image). Via le raccourci clavier Alt+E, affichez les propriétés du fichier. Ici,

le poids approche les 4,4 Mo (cela n'est pas étonnant avec ce format de fichier) ; il faudrait de (très) longues minutes pour que l'image s'affiche dans la boîte aux lettres électronique d'un correspondant disposant d'un faible débit de connexion.

2 Observez la barre d'outils de Photoshop Album, et plus particulièrement le bouton **Partager**. Cliquez sur la flèche noire qui l'accompagne, puis sélectionnez l'option *Courrier électronique*. La boîte de dialogue qui s'ouvre est riche de nombreuses fonctions. Sur la gauche est proposé un aperçu de l'image sélectionnée. Au centre, la rubrique *Envoyer à* permet de définir une ou plusieurs adresses e-mail. À droite figurent les paramètres d'envoi et de qualité. Pour l'heure, entrez une nouvelle adresse e-mail. Pour cela, cliquez sur le bouton **Ajouter un destinataire**.

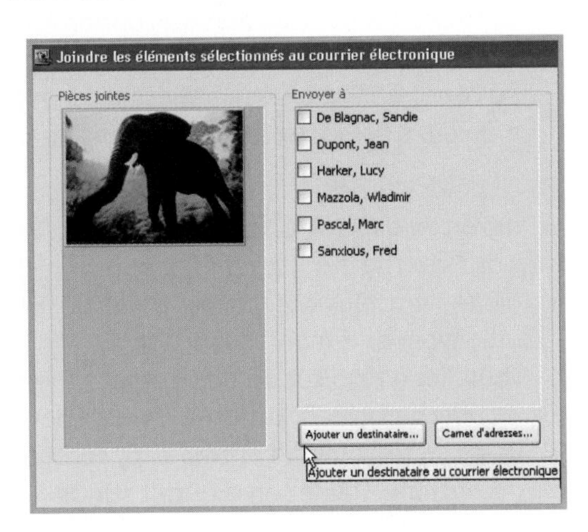

3 Remplissez les champs *Prénom*, *Nom* et *Adresse électronique*. Cochez la case *Ajouter au carnet d'adresses*, puis validez par OK. Dans la rubrique *Envoyer à* s'est ajoutée votre nouvelle adresse e-mail. Cochez la case en regard de cette nouvelle adresse.

ÉTAPE 2 Paramétrer la photo numérique

4 Dans la rubrique *Type de fichier*, sélectionnez l'option *Pièce jointe individuelle*. L'image étant au format TIFF, il convient de la convertir au format JPEG, compressé et lisible par Outlook Express. Notez que, si l'image était déjà au format JPEG, cette option serait inaccessible.

5 Dans la rubrique *Taille et qualité*, située en bas de la boîte de dialogue **Joindre des éléments**, les valeurs qui s'affichent tiennent compte de la conversion au format JPEG. Vous pouvez affiner ces valeurs, notamment en termes de taille. Déroulez la liste *Taille* : quatre possibilités s'offrent à vous. Sélectionnez l'option *Moyenne (800×600)*. Sachez que ces dimensions sont purement indicatives. Votre image ne sera pas exactement à cette taille, mais s'en approchera au plus près de manière à préserver les proportions de la photo.

6 Le poids du fichier (nommé maladroitement *Taille*) est maintenant de 159 Ko. Ce chiffre est nettement plus acceptable pour un envoi par e-mail. Vous pouvez vous fier à l'indication de vitesse de téléchargement affichée juste en dessous, elle est généralement assez juste. Dans cet exemple, 55 secondes représentent une durée acceptable. Validez en cliquant sur OK.

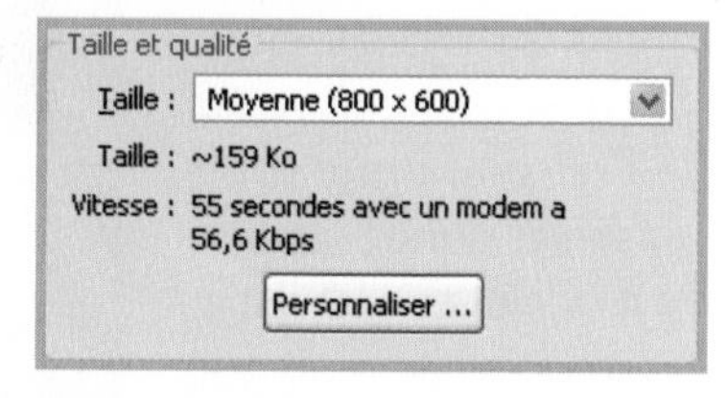

7 Un nouveau message s'affiche (à la façon de votre messagerie électronique habituelle). Votre adresse e-mail d'expéditeur est déjà indiquée, tout comme le destinataire. Votre image compressée (observez son poids) est attachée en fichier joint. Modifiez les éléments de texte rédigés par Adobe et envoyez le tout. Rappel : au départ, la photo pesait 4,4 Mo ; à l'arrivée, et sans occasionner le moindre problème d'affichage, elle ne pèse plus que 73 Ko environ. Un régime s'imposait !

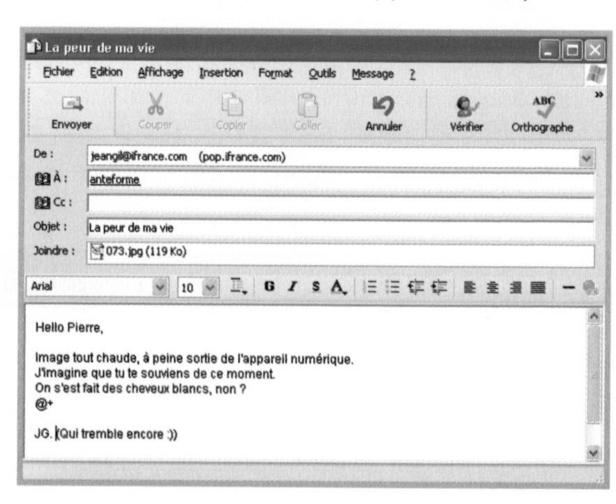

FICHE 23 Créer un arrière-plan pour les e-mails

Il est possible d'appliquer un arrière-plan de couleur aux messages électroniques que vous envoyez ou, mieux encore, d'insérer vos propres images comme fond de message. Attention : il n'est pas question ici de pièce jointe, mais bien d'un arrière-plan sur lequel viendra s'inscrire le texte de l'e-mail.
Pour cet exercice très simple, vous utiliserez dans un premier temps Photoshop Elements 2.0 pour attribuer des valeurs de taille et de qualité de compression à l'image. Dans un second temps, vous lancerez Outlook Express pour envoyer l'e-mail personnalisé. L'image ci-dessous donne un aperçu du message tel qu'il s'affichera dans la boîte aux lettres électroniques de vos correspondants.

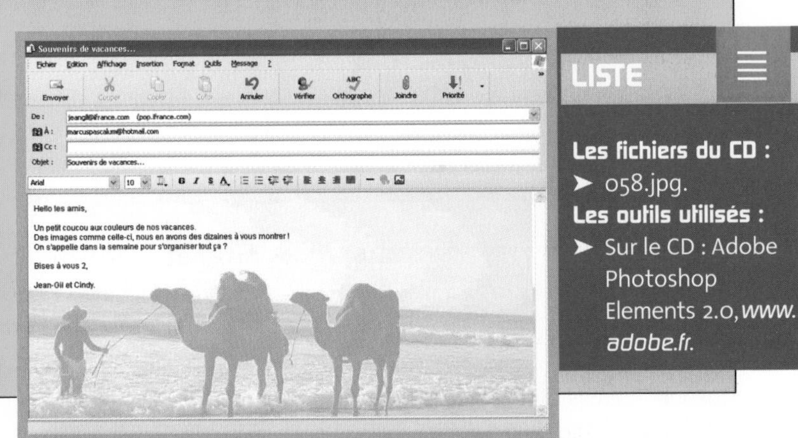

LISTE

Les fichiers du CD :

➤ 058.jpg.

Les outils utilisés :

➤ Sur le CD : Adobe Photoshop Elements 2.0, *www.adobe.fr*.

ÉTAPE 1 Paramétrer l'image

1 Via l'Explorateur de fichiers de Photoshop Elements 2.0, faites glisser l'image que vous souhaitez transformer en arrière-plan de message électronique puis dupliquez-la de manière à travailler sur une

copie. Pour ce faire, activez le menu **Image/Dupliquer l'image**. Validez l'appellation proposée, puis fermez l'image d'origine, désormais protégée d'éventuelles erreurs.

2 Il est nécessaire de modifier la taille de l'image. Activez le menu **Image/Redimensionner/Taille de l'image**. Ramenez la largeur de la photo à *800 pixels*. En dessous, l'image s'affiche sous la forme d'une mosaïque. Le haut de l'image est tronqué. Par conséquent, quelle que soit la taille d'origine, cochez les cases *Conserver les proportions* et *Rééchantillonnage*, ainsi que l'option *Bicubique*, et attribuez une valeur de *800 pixels* de large à votre photo pour une résolution de *72* pixels/pouce.

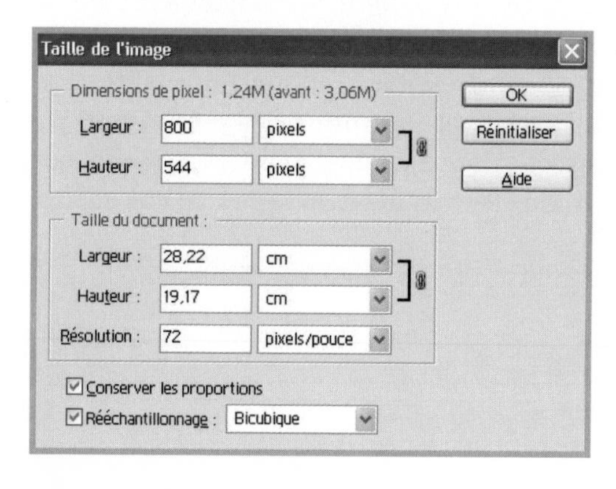

+ SE FIER AUX FICHIERS D'OUTLOOK EXPRESS

Outlook Express dispose d'une dizaine d'arrière-plans. Ce sont soit des fichiers GIF, soit des JPEG. Leur poids n'excède pas 17 Ko. Vous les trouverez à l'emplacement suivant : *C:\Program Files\Fichiers communs\Microsoft Shared\Papier à lettres*.

3 Affichez la palette *Calques* (**Fenêtre/Calques**) et double-cliquez sur le calque *Arrière-plan*. Dans la boîte de dialogue **Nouveau calque** qui vient de s'ouvrir, laissez l'appellation par défaut, le mode de fusion à *Normal*, mais baissez l'opacité à *35 %*. Validez par OK. Vous n'apercevez pratiquement plus votre

image. Rassurez-vous : ce n'est qu'un effet d'optique dû à la grille de transparence.

4 La taille et l'opacité ayant été définies, optimisez votre image pour en réduire le poids. Les fichiers d'arrière-plan d'Outlook Express sont très légers. Respectez cette exigence de poids… à quelques kilo-octets près. Activez le menu **Fichier/Enregistrer pour le Web** (Ctrl+Maj+Alt+S).

ÉTAPE 2 Optimiser l'image pour le Web

5 La fenêtre de gauche montre l'image dans son état initial, la fenêtre de droite, dans sa version optimisée. Dans la liste *Paramètres*, sélectionnez le format *JPEG inf*, cochez la case *Optimisé* et définissez une qualité de *20*. Sous l'aperçu de l'image optimisée, Photoshop Elements affiche le poids de l'image ainsi que sa vitesse de téléchargement pour une connexion à 56 Kbit/s. Validez par OK. Attribuez un nom à ce fichier optimisé et sauvegardez-le à un emplacement du type *Mes documents/Mes images*.

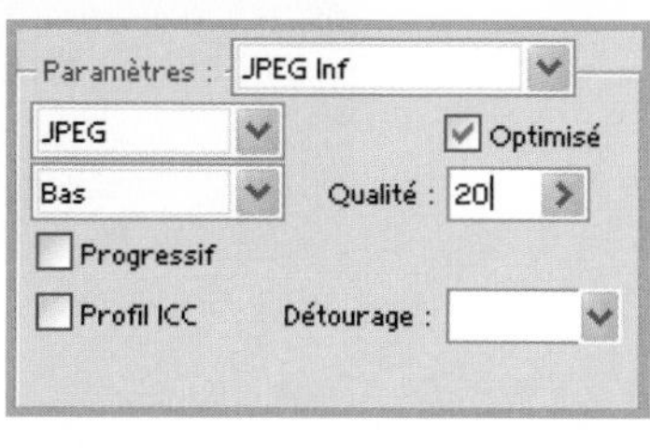

6 Lancez votre messagerie électronique puis créez un nouveau message. Remplissez les champs de provenance, de destination et d'objet et activez le menu Format/Arrière-plan/Image. Cliquez sur le bouton Parcourir et partez à la recherche de l'image que vous venez d'optimiser. Une fois l'image sélectionnée, validez par OK. Rédigez votre message et envoyez-le à votre correspondant. Notez que si votre image paraît trop pâle (on peine à deviner ce que la photo représente) ou trop contrastée (on peine à lire le texte du message), recommencez l'exercice en modifiant les valeurs d'opacité de l'étape 3.

FICHE 24 Créer une galerie d'images en ligne

Il est inutile de maîtriser les difficiles langages du Web que sont HTML, PHP ou ASP pour créer un site web et montrer vos images à la terre entière. Avec Photoshop Elements, aucune connaissance n'est requise. Il suffit de savoir où sont sauvegardées les images que vous souhaitez montrer sur le Net. Pour cet exercice, nous supposons que vous avez préalablement défini les images que vous souhaitez mettre en ligne et que celles-ci sont déjà regroupées dans un dossier. Au final, les internautes admireront vos images sur un site de qualité professionnelle.

LISTE

Les fichiers du CD :

- 071.jpg ; 077.jpg ; 080.jpg ; 081.jpg ; 082.jpg ; 083.jpg ; 084.jpg ; 085.jpg ; 086.jpg ; 087.jpg ; 088.jpg.

Les outils utilisés :

- Sur le CD : Adobe Photoshop Elements 2.0, *www.adobe.fr*.

ÉTAPE 1 Dossiers source et de destination

1 Activez le menu **Fichier/Créer Galerie Web Photo**. S'ouvre alors la seule boîte de dialogue de paramétrage de votre futur site web.

2 La liste déroulante *Styles* vous donne le choix entre quinze aspects de sites web, qui varient du plus simple au plus artistique. Toutes les pages de votre futur site se verront appliquer le style que vous allez sélectionner selon vos goûts et peut-être en fonction des images que vous souhaitez montrer. L'exemple qui illustre cette fiche est conçu avec le style *Musée*.

3 Remplissez le champ *Adresse électronique* de façon que votre adresse e-mail s'affiche sur chaque page du site. Les internautes pourront ainsi entrer en contact avec vous, puisqu'un clic leur suffira pour vous laisser un message plein d'admiration. Le champ *Extension* doit rester sur l'option par défaut *.htm*.

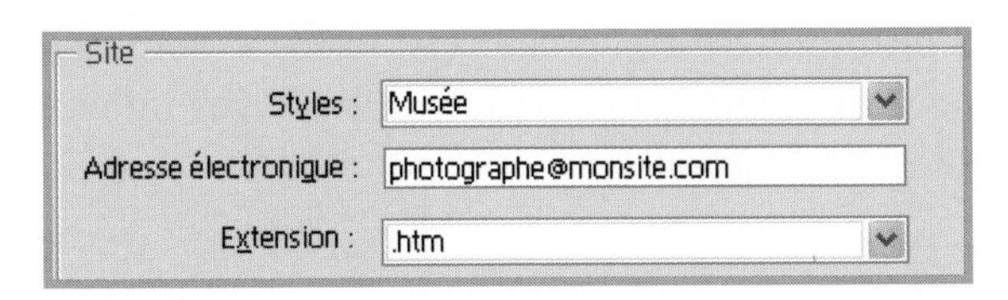

4 Dans la rubrique *Dossiers*, cliquez sur le bouton **Parcourir** pour naviguer dans votre disque dur à la recherche du dossier dans lequel vous avez sauvegardé vos images. Une fois le dossier sélectionné, son chemin d'accès s'affiche en petits caractères à droite du bouton **Parcourir**.

5 Vous avez le dossier de départ. Il reste à définir le dossier de réception des futures pages web. Cliquez sur le bouton **Destination**, puis dirigez-vous par exemple vers le dossier *Mes documents/Mes images*. Le dossier de destination n'étant pas créé, cliquez sur le bouton **Créer un nouveau dossier**. Donnez-lui un nom simple, du type *Mon site*

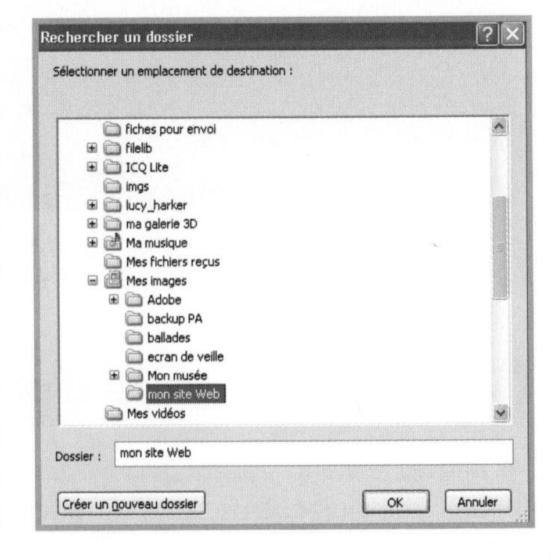

Web, puis cliquez sur OK. Comme pour le dossier d'origine, le chemin d'accès s'affiche à droite du bouton **Destination**.

ÉTAPE 2 Configurer le site

6 La rubrique *Options* vous permet d'affiner la présentation de votre site web. Commencez par le menu *Bannière*. Dans la rubrique *Nom du site*, saisissez une appellation plus personnelle que celle par défaut. Vous pouvez préciser qui est le photographe, ses coordonnées (n'oubliez pas que tout le monde, dans l'absolu, pourra les lire) et la date de création du site. Les derniers choix (police et taille des caractères) peuvent rester tels quels.

7 Déroulez la liste *Options* et sélectionnez l'entrée *Grandes images*. Cochez impérativement la case *Redimensionner les images* (ainsi, si vos photos n'ont pas les mêmes dimensions d'affichage, vous évitez de bouleverser l'homogénéité globale du site et de fâcher les internautes, contrariés de ne pas voir l'intégralité de l'image au premier coup d'œil). Sélectionnez l'option *Grande : 450 pixels*, *Les deux*, et une qualité d'image *Moyenne*. Décochez la case *Nom de fichier* de la rubrique *Titre avec*. Les autres options ne bougent pas.

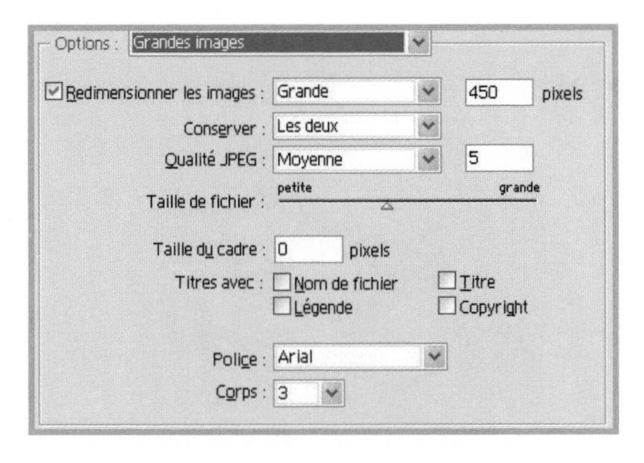

8 Dans la rubrique *Vignettes*, laissez les valeurs par défaut, mais décochez la case *Nom de fichier*, car peu esthétique. Les vignettes, via un simple clic de souris, permettront aux internautes d'afficher une

image en grand format. Vous pouvez laisser tels quels les paramètres *Couleurs personnalisées* et *Protection*.

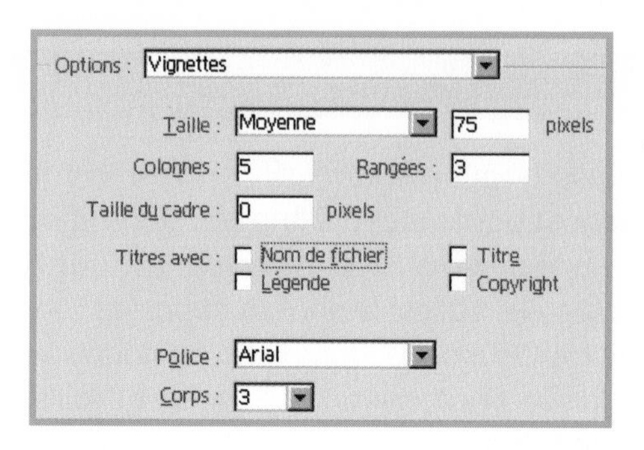

9 Votre site est presque prêt. Si tout vous paraît conforme, cliquez sur le bouton OK et laissez travailler Photoshop Elements 2.0. Une fois la création de votre site achevée, le logiciel lance votre navigateur web par défaut pour une consultation du site tel qu'il sera vu par les internautes. Si le résultat vous convient, vous pouvez télécharger l'ensemble des dossiers et leur contenu vers un hébergeur de sites web, puis avertir vos proches de la mise en ligne de vos plus beaux clichés en leur communiquant l'adresse exacte de votre site.

FICHE 25 Convertir une image au format PDF

Le format PDF (Portable Document Format), créé par Adobe, est lisible et imprimable via Acrobat Reader sur les principales plates-formes logicielles et matérielles. Acrobat Reader est gratuit, très léger, téléchargeable sur le site web d'Adobe et offre une universalité à vos images. Certes, le format JPEG est un sésame sensiblement équivalent ; mais vous pourrez être amené, un jour ou l'autre, à convertir une image JPEG ou TIFF, produite par votre appareil photo, en un fichier PDF, si c'est le seul format que votre correspondant est capable de lire. Vous allez utiliser Photoshop Elements pour convertir, selon trois méthodes différentes, des images au format PDF.

LISTE

Les fichiers du CD :
- Roseaux.jpg.

Les outils utilisés :
- Sur le CD :Adobe Photoshop Elements 2.0, *www.adobe.fr.*

ÉTAPE 1 Compression ZIP, aucune déperdition

1 Ouvrez l'image au format JPEG ou TIFF que vous venez d'acquérir depuis votre appareil photo numérique. Celle qui illustre cette fiche

a les caractéristiques suivantes : *500×377 pixels*, résolution de *72 pixels/pouce*, poids total : *550 Ko*. Activez le menu **Fichier/Enregistrer sous** (Ctrl+Maj+S).

2 Dans la zone *Format*, définissez un emplacement de sauvegarde, puis sélectionnez l'option *Photoshop PDF* sans pour autant modifier le nom de votre image.

3 Dans la boîte de dialogue **Options PDF** qui vient de s'ouvrir, sélectionnez l'option *ZIP*. Le format ZIP est une technique de compression sans perte au niveau de la qualité de l'image. Il est donc conseillé si le fichier PDF final doit être imprimé. Mais il est plus gourmand en termes de poids de fichier. Validez par OK pour enregistrer votre PDF. Le PDF final pèse 420 Ko.

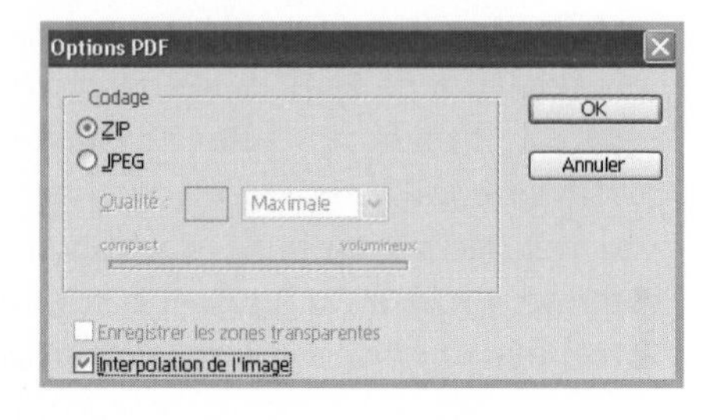

ÉTAPE 2 Compression JPEG, poids allégé mais perte de qualité

4 Ouvrez votre image au format JPEG ou TIFF, puis activez le menu **Fichier/Enregistrer sous**. Après avoir défini l'emplacement de votre sauvegarde, sélectionnez l'option *Photoshop PDF*.

5 Dans la boîte de dialogue **Options PDF**, choisissez l'option *JPEG*. Pour allier qualité de l'image et poids de fichier, définissez une qualité *élevée* de *8*. Ainsi, le fichier sera compressé et ne perdra qu'un peu de sa qualité. Validez par OK. Cette

? INTERPOLATION DE L'IMAGE

Lors de la création d'un fichier PDF, Photoshop Elements vous propose d'opter pour une interpolation de l'image. Cette option permet de lisser l'apparence d'une image de basse résolution lors de l'impression. Elle est donc conseillée si l'objectif est l'impression du PDF.

méthode est davantage destinée aux fichiers PDF voués à être affichés sur un moniteur. Le PDF final pèse 95 Ko.

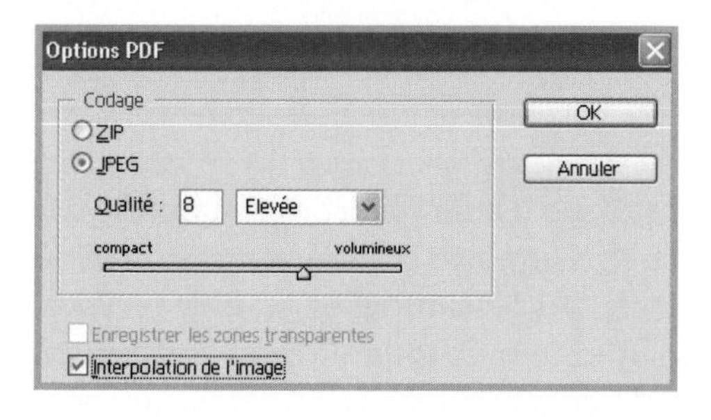

ÉTAPE 3 Conversion multiple

6 Pour procéder à une conversion simultanée de plusieurs images « brutes » au format PDF, ouvrez toutes les images à convertir dans l'interface de Photoshop Elements 2.0. Activez le menu **Fichier/Traitement par lots**.

7 Dans la liste déroulante *Fichiers à convertir*, choisissez l'entrée *Fichiers ouverts*. Sélectionnez *PDF* dans la liste déroulante *Convertir le type de fichier*.

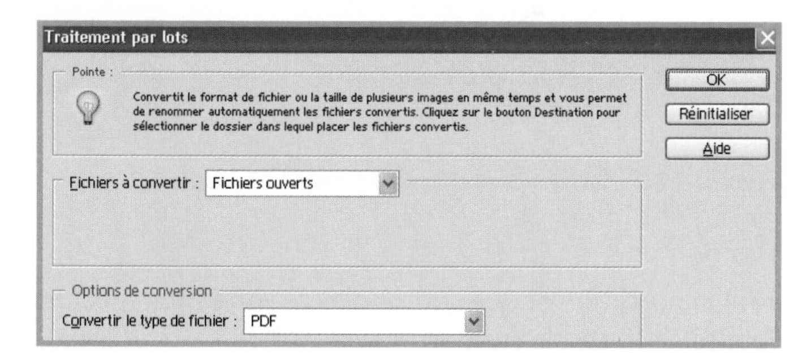

8 Dans la rubrique *Options de sortie*, définissez un emplacement de sauvegarde pour vos fichiers PDF. Une fois le dossier défini, lancez la conversion en cliquant sur OK. Notez que cette méthode de conversion multiple ne permet pas de choisir entre ZIP et JPEG ; la première méthode semble préférable.

FICHE 26 Exporter des images dans l'urgence

Cette fiche pratique a pour objectif de répondre à un besoin précis : l'exportation urgente d'images par courrier électronique, pour des raisons professionnelles ou autres. Vous allez découvrir une formidable méthode d'optimisation, qui permet de compresser, de convertir, de redimensionner et de renommer des images, dans une fenêtre unique.

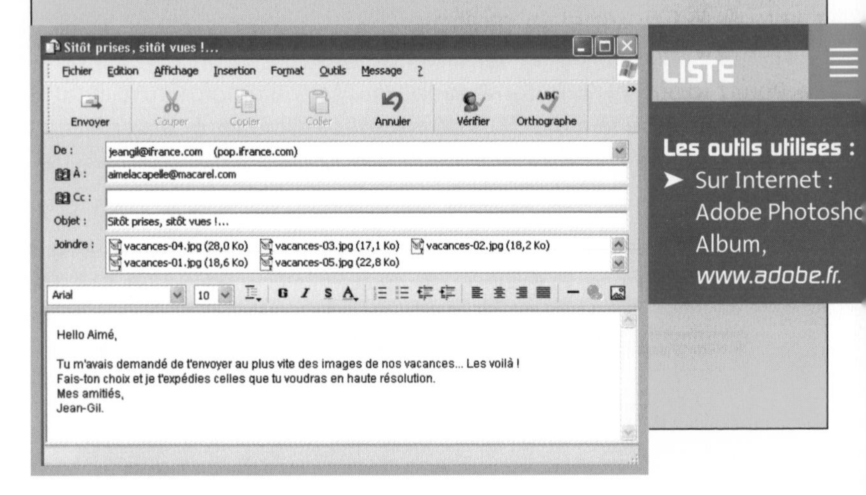

LISTE

Les outils utilisés :

➤ Sur Internet : Adobe Photoshop Album, *www.adobe.fr.*

1 Après l'importation de vos photos depuis votre appareil numérique et leur sélection via le raccourci clavier Ctrl+A, activez le menu **Fichier/Exporter** (Ctrl+E). S'ouvre alors la boîte de dialogue mentionnée dans l'introduction de cette fiche.

2 Vos images apparaissent dans la rubrique *Éléments à exporter*. Dans la rubrique *Type de fichier*, sélectionnez *JPEG*, un format quasi universel.

3 C'est dans la rubrique *Taille et qualité* que tout se joue. Vos images sont de taille moyenne (du moins elles correspondent à ce critère tel que le conçoit votre appareil numérique), mais il convient malgré tout d'en réduire le format. N'oubliez pas le but de l'exercice : envoyer au plus vite des images à un correspondant. Il ne s'agit pas de lui faire parvenir des clichés d'une qualité exceptionnelle, dans leur taille d'origine. Vous souhaitez juste montrer un échantillon de vos photos. Optez pour les valeurs suivantes : *Taille de photo* = *320×240 pixels*, *Qualité* = *4*.

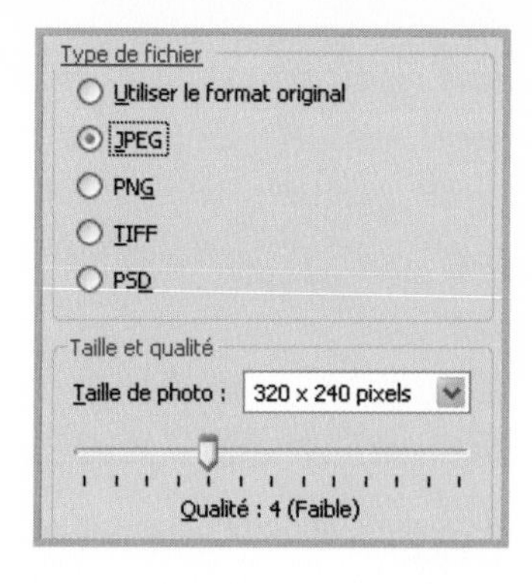

4 Dans la rubrique *Emplacement*, définissez un dossier dans lequel seront sauvegardées vos images prêtes à être exportées. Souvent, les appareils numériques donnent aux images des noms de fichier abscons (des suites de numéros, des lettres...), qui ne permettront pas à votre correspondant de s'y retrouver.

5 Dans la rubrique *Nom de fichier*, cochez l'option *Nom de base commun* et remplissez le champ correspondant. L'exemple portant sur une splendide demeure, attribuez aux images le nom de `vacances`. Les images, une fois exportées, auront pour nom de fichier : *vacances-1.jpeg*, *vacances-2.jpeg*, etc.

6 Cliquez sur le bouton **Exportation**. Laissez Photoshop Album travailler et profitez-en pour lancer votre messagerie électronique. Si vous désirez envoyer un très grand nombre d'images, faites l'effort de les compresser, sinon ajoutez les photos en pièces jointes à un message. Pour information, le poids des images de base de cet exemple était en moyenne de 5 Mo. Après exportation, la moyenne avait chuté à 23 Ko.

Objectif Web

Bien que la fièvre de la page perso soit un peu retombée, le Web demeure un vecteur privilégié pour les photographies, surtout si l'on se détache quelque peu de la sacro-sainte galerie d'images. En effet, le mariage du Net et de l'image numérique offre de nombreuses variétés d'expressions, pour peu que l'on respecte quelques données techniques fondamentales et parfois surprenantes. Ainsi, dans ce chapitre, vous commencerez par intégrer du mieux possible une photo dans un CV à envoyer par e-mail. Vous poursuivrez par la création d'un arrière-plan issu d'une prise de vue peu académique, puis par la conception d'une carte de vœux vraiment personnelle. Puis viendront deux fiches pour faire de vos images des liens web, puis quelques précisions sur la compression des images du Web. Nous terminerons par deux méthodes de protection des clichés.

FICHE 27 Intégrer un portrait dans un CV sous Word

Les cabinets de recrutement demandent parfois de joindre une photo à un CV. Il n'y a rien de compliqué à effectuer cette opération. Quelques manipulations très simples vont vous permettre d'optimiser votre portrait. L'objectif est double : alléger l'image insérée, de sorte qu'elle ne pénalise en aucun cas l'ouverture du fichier .doc, et simuler un exercice de PAO sous Word de manière à rendre votre CV aussi efficace que lisible. Vous commencerez par ouvrir Photoshop Elements 2.0, puis vous finirez sous Microsoft Word 2000 (version très répandue).

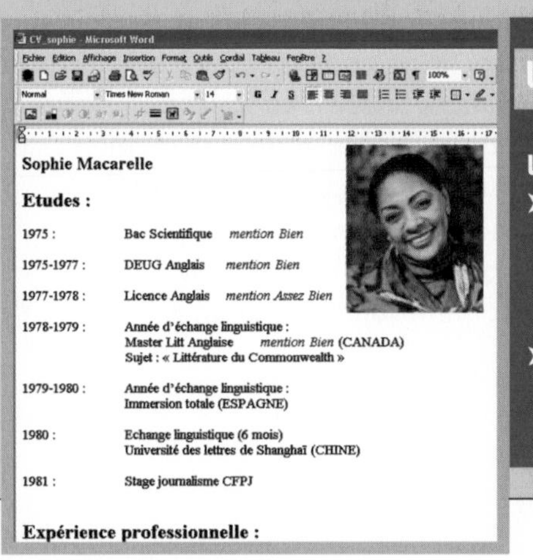

LISTE

Les outils utilisés :

- Sur le CD : Adob[e] Photoshop Elements 2.0, *www.adobe.fr* ;
- Sur Internet : Microsoft Word, *www.microsoft.fr*

ÉTAPE 1 Optimiser l'image avec Photoshop Elements

1 Lancez Photoshop Elements. Via l'Explorateur de fichiers, ouvrez l'image que vous souhaitez intégrer à votre CV. Nous supposons que votre portrait a été retouché, tant au niveau de la luminosité et de la

couleur que du cadrage. Il reste néanmoins à surveiller le poids du fichier. Vous avez peut-être pris une photo en haute définition. C'est une excellente idée pour la qualité du cliché, mais c'est inutile pour un CV. Le CV sous Word ne doit pas excéder le poids normal d'un fichier *.doc*. Activez par conséquent le menu **Fichier/Sauvegarder pour le Web**.

2 À gauche figure l'image originale ; son poids brut est affiché sous la mention *Originale* située en bas et à gauche de la fenêtre. À droite figure l'image qui va être optimisée. Sous Word, votre photo ne prendra qu'une place modeste (tout en restant parfaitement visible) sur votre CV. Par conséquent, les détails de l'image peuvent être revus à la baisse et la taille du fichier peut être réduite. Dans la boîte de dialogue **Enregistrer pour le Web**, repérez la rubrique *Paramètres* ; dans la liste déroulante qui s'y rapporte, sélectionnez l'option *Jpeg Moy*.

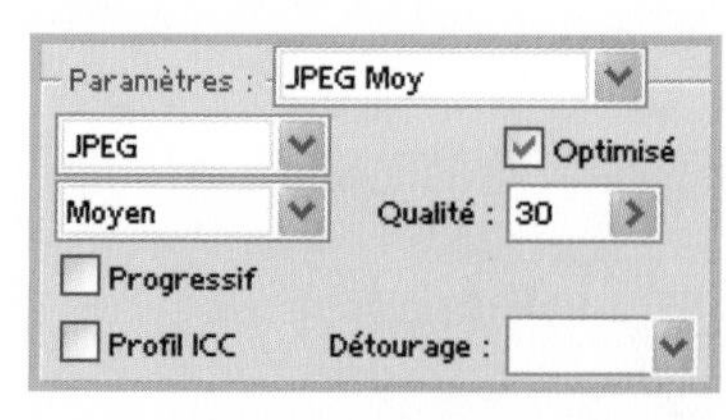

3 *Jpeg Moy* produit un fichier optimisé d'une qualité suffisante pour ce qui va devenir une toute petite image. Vous pouvez du reste constater dans la fenêtre de droite, représentant votre image optimisée, que celle-ci est encore tout à fait « regardable ».

4 Pour alléger davantage le fichier image, vous allez modifier sa taille. Sous la rubrique *Nouvelle taille* sont affichées les dimensions en pixels de votre photo. Cochez la case *Conserver les proportions*, puis entrez une valeur de hauteur de *150 pixels*. La valeur de largeur (environ 124 pixels) s'ajuste d'elle-même. Ces dimensions correspondent à une image d'environ 5 cm de haut et de 4,5 cm de large, pour une résolution de 72 pixels par pouce (automatiquement définie par la fonction **Sauvegarder pour le Web**). Bien sûr, ces valeurs sont indicatives et propres à l'image qui illustre la présente fiche. Cependant, une hauteur (nous sommes en mode Portrait et la hauteur prime) d'environ 150 pixels fera parfaitement l'affaire.

5 Cliquez sur le bouton **Appliquer**. La fenêtre d'aperçu montre votre image optimisée. Son poids est désormais dérisoire. Cliquez sur OK et sauvegardez votre image à un endroit précis.

ÉTAPE 2 Intégrer l'image sous Word

6 Ouvrez maintenant votre CV sous Word et affichez la barre d'outils propres aux images en activant le menu **Affichage/Barres d'outils/Images**. Positionnez le curseur en début de texte, puis ouvrez le menu **Insertion/Image/À partir du fichier**. Sélectionnez l'image que vous venez d'optimiser sous Photoshop Elements puis cliquez sur **Insérer**.

7 L'image est mal placée. Cliquez dessus pour la sélectionner. Dans la barre d'outils *Image*, cliquez sur l'icône *Habillage du texte* et choisissez l'option *Devant le texte*. Votre photo cache votre CV ; Faites-la glisser, à l'aide de la souris, dans un endroit vierge (en haut et à droite, par exemple) de votre document Word. Vous pouvez sauvegarder votre CV et l'envoyer aux recruteurs.

FICHE 28 Créer une texture à partir d'une photo numérique

Avec un appareil photo numérique, on peut photographier tout (ou presque) et n'importe quoi ! On ne gâche pas de la pellicule comme avec un appareil argentique, une simple manipulation permettant de supprimer l'image de la carte mémoire si la photo est franchement ratée. Nous allons voir comment une simple photographie va contribuer à créer la texture d'une bannière de navigation pour un site perso. Les outils nécessaires ? Photoshop Elements 2.0, votre appareil photo... et un mur en crépis.

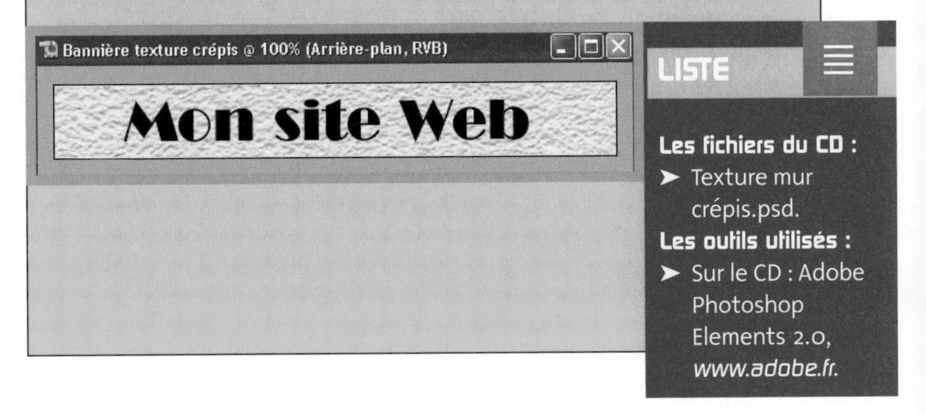

LISTE

Les fichiers du CD :

- Texture mur crépis.psd.

Les outils utilisés :

- Sur le CD : Adobe Photoshop Elements 2.0, *www.adobe.fr.*

L'image qui illustre cette fiche est disponible sur le CD-Rom qui accompagne cet ouvrage. Mais si vous souhaitez utiliser une image de votre collection, il y a deux impératifs à observer : une sauvegarde de votre image au format propriétaire de Photoshop (seul format reconnu par le filtre qui va nous servir) et de nouvelles dimensions de pixels. Ainsi, commencez par glisser la photo dans l'interface de Photoshop Elements. Ensuite, activez le menu **Image/Redimensionner/Taille de l'image**. Définissez une *Largeur* de *468 pixels*, la hauteur s'adaptant automatiquement si vous avez pris soin de *Conserver les proportions*. Sauvegardez maintenant votre image en activant le menu **Fichier/Enregistrer sous**, définissez un emplacement et un nom de fichier, puis enregistrez le document au format *PSD*. Vous pouvez fermer l'image.

2 Ouvrez maintenant un nouveau document (Ctrl+N). Dans la liste *Formats prédéfinis*, sélectionnez l'option *Bannière Web*. Le mode colorimétrique est le *RVB* et la résolution de *72 pixels par pouce*. La couleur de remplissage est le blanc… mais plus pour très longtemps.

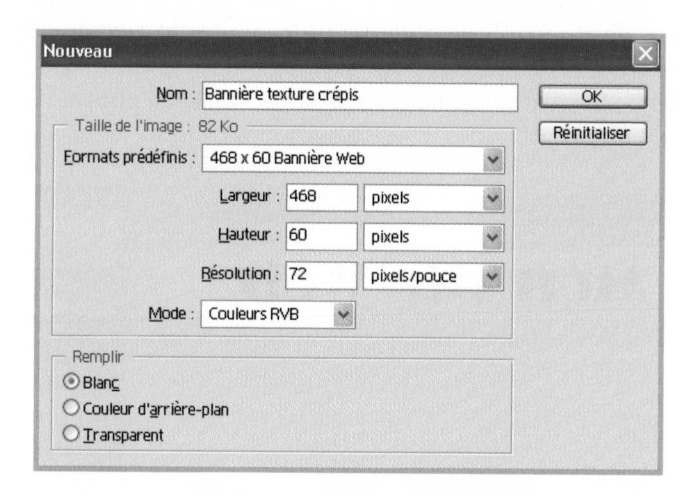

3 Cliquez dans le Sélecteur de couleurs de premier plan de la barre d'outils et choisissez une couleur assez sage, voire pastel. Sélectionnez l'outil **Pot de peinture** (K) puis cliquez dans la bannière fraîchement créée.

4 Activez le menu **Filtre/Texture/Placage de texture**. Dans la boîte de dialogue qui vient de s'ouvrir, déroulez la liste *Texture* de façon à sélectionner l'option *Charger une texture*. S'ouvre immédiatement une boîte de dialogue de recherche de fichiers très classique. Recherchez l'image au format PSD que vous venez de sauvegarder. Une fois l'image sélectionnée, cliquez sur **Ouvrir**.

5 La largeur de chacune des deux images (le mur et la bannière) étant identique, une valeur de *100 %* au curseur *Échelle* intégrera la texture à sa taille réelle. Selon vos envies, vous pouvez diminuer cette valeur (la texture se fera plus dense) ou l'augmenter (la texture se fera moins épaisse). Le curseur *Relief* ne doit pas être trop poussé, une valeur de *6* étant suffisante pour apercevoir la texture sans que celle-ci soit trop voyante. Les deux dernières fonctions permettent de définir un éclairage pour la texture et d'en inverser les reliefs. Cliquez sur OK pour valider.

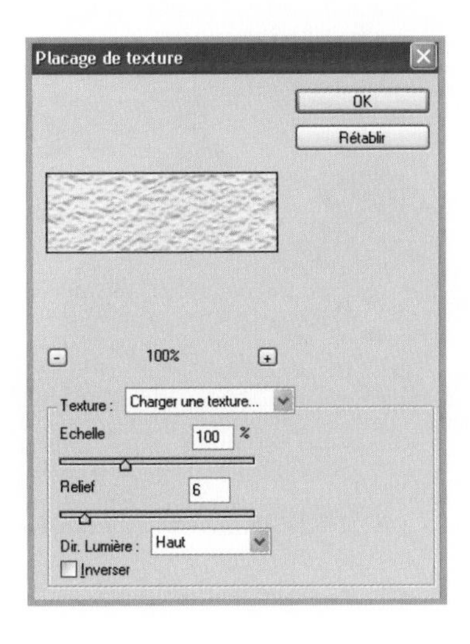

6 Le fond pastel s'est chargé d'une texture. Il ne vous reste plus qu'à rédiger le texte de votre bannière et à la sauvegarder pour le Web. La bannière web ne fut ici qu'un prétexte pour utiliser le filtre **Placage de texture**. Essayez-le sur des boutons de navigation, des arrière-plans, varier les échelles et les reliefs. Et surtout, photographiez (ou scannez) tout ce qui vous entoure, tout étant matière à texture.

FICHE 29 Créer une carte de vœux électronique

Vous souhaitez envoyer une carte de vœux vraiment personnelle ? Bien sûr, Internet regorge de sites proposant diverses e-cartes, et en quelques clics, la carte est expédiée et le destinataire content. Photoshop Album vous propose mieux : créer une carte de vœux électronique mettant en scène une image de votre collection accompagnée d'une musique ou d'un message audio de votre choix. Démonstration…

LISTE

Les outils utilisés :

➤ Sur Internet : Adobe Photosho Album, *www.adobe.fr*.

1 Lancez Photoshop Album et sélectionnez l'image qui illustrera votre carte de vœux. La carte sélectionnée, affichez l'espace de travail en actionnant le raccourci clavier Ctrl+W. Si besoin est, jetez à la Corbeille les images présentes dans l'espace de travail (elles ne seront pas effacées du disque dur, rassurez-vous !) et faites glisser à la place l'image prévue pour la carte de vœux électronique.

2 Cliquez sur le bouton **Lancer l'assistant de création**. Dans la rubrique *Sélectionner le type de modèle*, sélectionnez l'option *Carte électronique*, puis cliquez sur le bouton **Suivant**, situé en bas et à droite de cette boîte de dialogue. Sélectionnez le style qui vous convient dans la colonne de gauche, puis, de nouveau, cliquez sur **Suivant**.

3 Le champ *Titre* apparaîtra sur la première des deux pages qui composera votre e-carte. Il sera placé en dessous ou à côté de votre photo selon le modèle que vous aurez choisi. Les champs *Vœux* et *Message* n'ont guère besoin d'explications. Vous pouvez par exemple préciser le caractère événementiel des vœux que vous souhaitez adresser. Pensez enfin à remplir le champ *Signature*.

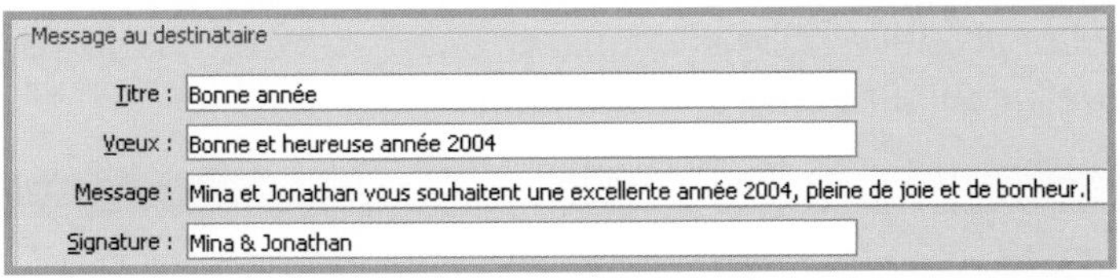

Message au destinataire

Titre : Bonne année
Vœux : Bonne et heureuse année 2004
Message : Mina et Jonathan vous souhaitent une excellente année 2004, pleine de joie et de bonheur.
Signature : Mina & Jonathan

4 La boîte de dialogue **Options de présentation** permet d'ajouter un fond musical à votre carte de vœux électronique. En déroulant la liste dédiée, vous constaterez que des fichiers compressés au format MP3 sont d'ores et déjà disponibles.

5 Sélectionnez le mode *Estompage* dans la liste *Transition*. Ce mode apporte beaucoup de souplesse lorsque la première page laisse place à la seconde. La *Fréquence*, réglée par défaut sur *4 secondes*, peut être augmentée. N'ayez crainte de ne pas être raccord avec la durée de la musique : celle-ci sera diffusée en boucle. Cochez la case *Autoriser le redimensionnement* de la vidéo, puis cliquez sur **Suivant**.

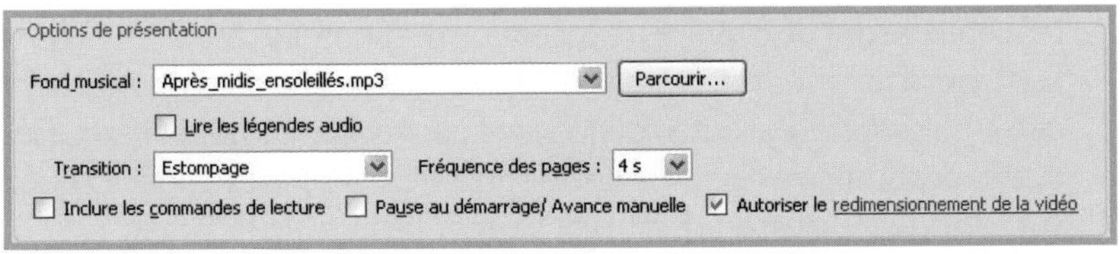

Options de présentation

Fond musical : Après_midis_ensoleillés.mp3 Parcourir...
Lire les légendes audio
Transition : Estompage Fréquence des pages : 4 s
Inclure les commandes de lecture Pause au démarrage/ Avance manuelle Autoriser le redimensionnement de la vidéo

6 À cette étape, vous pouvez vous offrir un aperçu de ce que votre correspondant découvrira. Cette simulation est très utile pour gommer les éventuels défauts avant l'envoi par e-mail. Cliquez sur le bouton **Aperçu plein écran**. Une fois en mode Plein écran, laissez se dérouler les pages et la musique. Vous revenez automatiquement dans l'espace de création. Si tout vous convient, cliquez sur **Suivant**.

7 Dans la rubrique *Options de sortie*, sélectionnez *Courrier électronique*. À gauche figure votre carte de vœux. Au centre est situé l'espace réservé à vos correspondants enregistrés. Si vous n'avez pas encore inséré le moindre contact dans votre liste, cliquez sur le bouton **Ajouter un destinataire**. Remplissez alors les trois champs puis cliquez sur OK. Votre correspondant est maintenant dans la liste. Cochez la case en regard de son nom. Dans la rubrique *Taille et qualité*, sélectionnez l'option *Optimiser pour l'affichage à l'écran*, la carte devant être lue sur un moniteur d'ordinateur.

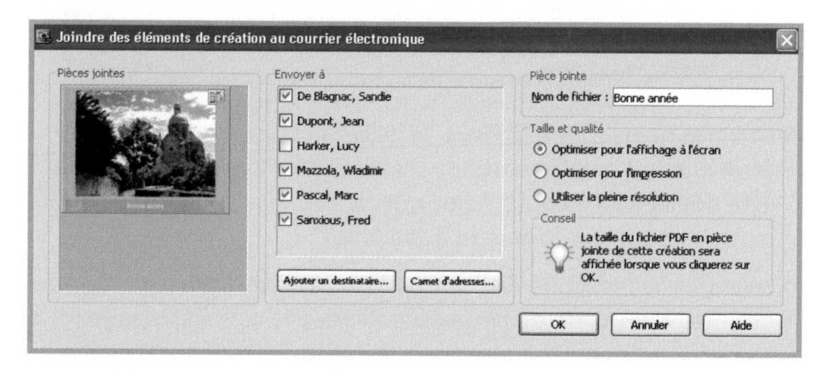

8 Photoshop Album enregistre la carte de vœux au format PDF, puis vous propose de découvrir quelques informations fort utiles, à commencer par la taille du fichier. Si ces données vous conviennent, cliquez sur OK.

9 S'ouvre alors l'interface de votre messagerie électronique par défaut. Les champs sont déjà remplis (expéditeur, destinataire). Modifiez cependant le champ *Objet*, trop impersonnel pour une pareille circonstance, ainsi que le message rédigé automatiquement par Adobe. Précisez par exemple, que le destinataire devra lire votre carte avec Acrobat Reader. Cliquez sur *Envoyer*. Le message part : vous venez de faire un heureux.

FICHE 30 Créer un site web original avec une image cliquable

Les liens hypertextes sont nombreux sur les pages personnelles. Et pour cause : sans lien, point de navigation d'une page à une autre. Or, s'il est possible de définir un lien à partir d'un ensemble de caractères, il est également possible de le faire à partir d'une image. Deux solutions sont proposées pour parvenir à ces fins : l'image cliquable, ce que cette fiche propose de réaliser, ou l'image fractionnée, qui sera le but de la fiche suivante. On appelle « image cliquable », une image au sein de laquelle se cache une zone, invisible aux yeux des internautes, définie manuellement par vos soins, et qui fera office de lien hypertexte donnant accès à une nouvelle page web.

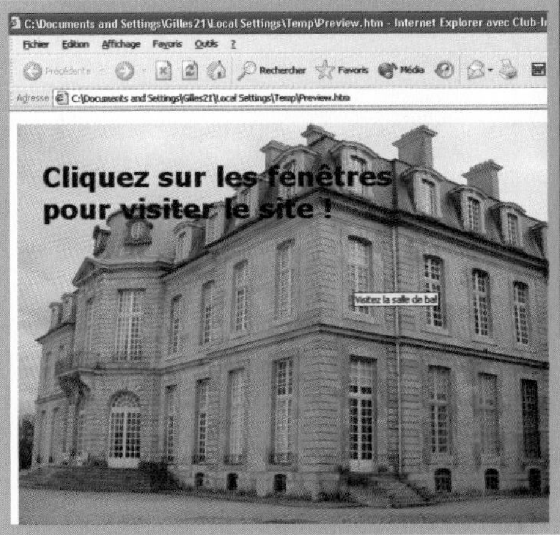

LISTE

Les fichiers du CD :

➤ Chateau1.jpg.

Les outils utilisés :

➤ Paint Shop Pro 8, *fr.jasc.com.*

| Glissez l'image dans l'interface de Paint Shop Pro depuis le bouton **Parcourir**, accessible via le raccourci clavier Ctrl+B. Activez maintenant le menu **Fichier/Exporter/Image cliquable**. Bienvenue dans le module de création d'image cliquable.

2 A l'aide des boutons de zoom + et - situés sous la vignette de votre photo, ainsi qu'en vous servant de l'outil **Main** de la rubrique *Outils*, positionnez la zone à définir comme étant cliquable de manière à la voir dans son intégralité dans la fenêtre d'aperçu.

3 Sélectionnez l'outil **Polygone** dans la rubrique *Outils* (le troisième en partant de la gauche) Cet outil fonctionne sensiblement comme un lasso de sélection ou un outil plume dans Photoshop. Ainsi, vous tracerez une sélection de l'ensemble du sujet en cliquant, point après point, sur les bords de celui-ci, jusqu'à l'entourer totalement. Pour fermer la zone, cliquez sur le premier point de la sélection.

4 Passez maintenant à la rubrique *Propriétés de la cellule*. Dans le champ *URL (Uniform Resource Locator)*, saisissez l'adresse du site ou de la page web visée après le protocole *http://*, sans omettre les trois W le cas échéant. Le champ *Texte à afficher* permet de rédiger un texte très bref résumant la page vers laquelle l'internaute va zapper. Enfin, la liste *Cible* vous permet de décider si la page (ou le site) va s'ouvrir dans une nouvelle fenêtre (*_blank*) ou dans la même (*_parent*).

5 Laissez sélectionnée l'option *Jpeg* de la liste déroulante *Format*, puis cliquez sur l'œil situé sous la vignette d'aperçu afin de lancer votre navigateur web par défaut. Comme vous le constatez, la délimitation de la zone cliquable est invisible, l'info-bulle du texte s'affiche convenablement et un clic vous dirige vers la page Web visée.

6 Enregistrez votre fichier HTML en cliquant sur le bouton **Enregistrer sous**. Une première fenêtre vous demande de nommer votre page HTML, une seconde de sauvegarder les changements appliqués à votre image d'origine. Lorsque vous transférerez cette page HTML sur le serveur hébergeant votre site web, n'oubliez pas de joindre l'image à la page HTML.

FICHE 31 Insérer une image fractionnée sur un site web

Après avoir défini une zone cliquable sur une image, vous allez apprendre à placer des liens web à divers endroits de la photo, dans des cellules. On parle alors d'image fractionnée, les internautes pouvant cliquer sur les différentes cellules afin d'ouvrir de nouvelles pages web.

LISTE

Les fichiers du CD :

➤ Chateau2.jpg.

Les outils utilisés :

➤ Sur le CD : Paint Shop Pro 8, *fr.jasc.com.*

1 Ouvrez l'image dans l'interface de Paint Shop Pro. Activez maintenant le menu **Fichier/Exporter/Image fractionnée**. C'est dans la boîte de dialogue du même nom que tout va se dérouler, les aperçus se faisant ensuite dans votre navigateur Internet par défaut.

2 Avant de créer la première cellule, positionnez l'aperçu de votre photo de manière à isoler la zone d'image à transformer en zone cliquable. Pour ce faire, vous pouvez utiliser l'outil **Main** du cadre *Outils* ainsi que les différents facteurs de zoom sous la vignette de

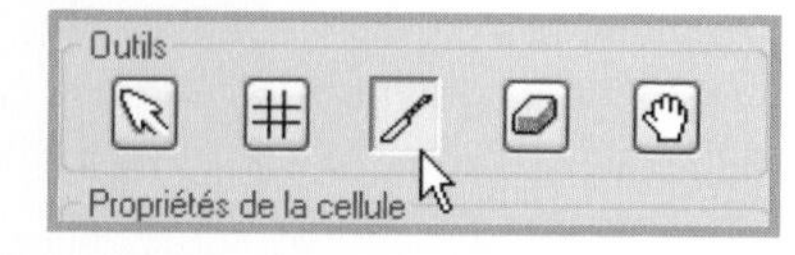

votre image. Une fois la zone à transformer isolée, activez l'outil de **Fractionnement** du cadre *Outils*.

3 Commençons par l'entrée principale du château. Positionnez le pointeur de la souris dans l'angle supérieur gauche de la porte et amorcez un tracé descendant vers le bas. Paint Shop Pro 8 place immédiatement un trait vert vertical. Procédez de la même manière pour l'angle supérieur droit. Même constat, création d'un trait vert parallèle au précédent trait... devenue rouge. Notre cellule prend forme. Pour la compléter, tracez, en opérant de la même façon, des bords de cellules horizontaux. Au final, la cellule doit embrasser la porte d'entrée dans son ensemble. Activez maintenant l'outil **Flèche** et cliquez au milieu de la cellule. Tous ses côtés deviennent verts, signe que la cellule est complétée et sélectionnée.

4 Il reste à renseigner les champs indispensables à tous liens Internet. L'*URL*, ou si vous préférez l'adresse du site vers lequel un clic dans la cellule va diriger l'internaute. Le préambule en http est déjà inscrit, à vous de compléter ce champ en indiquant l'adresse de la page web visée. N'oubliez pas les trois W si toutefois l'adresse en comprend.

5 La case *Texte à afficher* permet de rédiger un court texte. Celui-ci viendra accompagner le pointeur de la souris sous la forme d'une info-bulle dès lors que le pointeur s'attardera sur le lien. C'est l'outil idéal pour brièvement expliquer vers où mène ce lien. Enfin, la liste déroulante *Cible* permet de définir si un

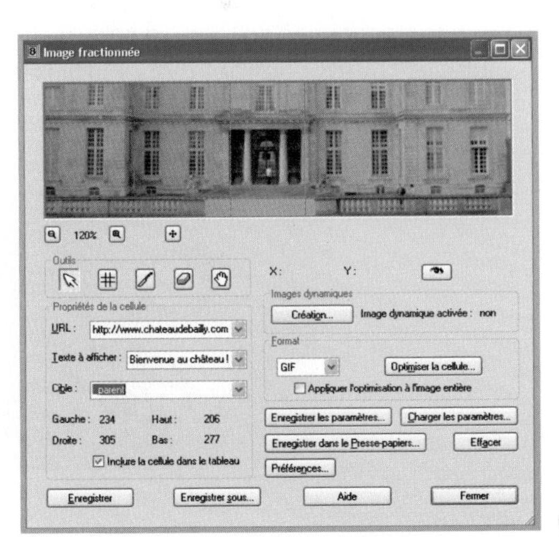

clic sur cette cellule va ouvrir la page dans le même écran (option *_parent*) ou dans une nouvelle fenêtre (option *_blank*).

6 Laissez le format en mode *JPEG*, parfait pour des photos, puis donnez-vous un aperçu de cette page provisoirement fractionnée, en cliquant sur l'œil, situé sous la vignette d'aperçu de votre image. Votre navigateur Internet par défaut se lance alors en mode hors connexion. Votre image s'affiche selon ses dimensions de pixels et si vous approchez votre pointeur de la fenêtre (évidemment, la cellule est invisible à l'œil nu), le texte à afficher apparaît. Un clic vous ouvre alors, dans un nouvel écran, la page web (en mode connexion, cette fois) que vous lui avez intimé d'ouvrir.

7 Il ne vous reste plus qu'à tracer de nouvelles cellules en suivant le même processus. Sauvegardez enfin votre fichier, qui ne sera pas un fichier image mais une page web à part entière. Ainsi, dans le module de fractionnement de Paint Shop Pro, cliquez sur le bouton **Enregistrer sous** et attribuez un nom à votre page HTML. En ce qui concerne l'image, Paint Shop Pro la découpe automatiquement en fonction des cellules que vous avez créées et enregistre les cellules au format JPEG, dans le même dossier que la page HTML. Ces cellules seront autant de petites images à transférer sur le serveur hébergeant votre page perso lorsque vous déciderez de mettre cette image fractionnée en ligne. La page web « reconnaîtra » alors les cellules et toutes pourront alors s'afficher.

FICHE 32 Éviter de trop compresser

Photoshop Elements 2.0 dispose d'une fonction de sauvegarde pour le Web, directement héritée de Photoshop 7, censée compresser des images aux formats JPEG ou GIF en leur attribuant une résolution de 72 pixels par pouce, résolution de votre moniteur. Mais de nombreux moniteurs acceptent désormais des résolutions plus élevées et si la résolution importe dans le cadre d'une impression d'image, pour ce qui est de l'affichage on parle plutôt de « dimensions de pixels ». La confusion vient souvent du fait que Photoshop a intégré deux outils dans la boîte de dialogue Taille de l'image.
Cette fiche est destinée aux photographes passionnés, soucieux de privilégier la qualité d'affichage de leurs clichés, au détriment, peut-être, de la vitesse de téléchargement des fichiers. Encore que... Voyez-vous une différence entre les deux images suivantes ?

Sans compression

Avec compression

Les outils du CD :
- Adobe Photoshop Elements, *www.adobe.fr.*

Depuis l'Explorateur de fichiers, déposez l'image à optimiser dans l'interface de Photoshop Elements 2.0. Le document utilisé dans cet exemple a les dimensions de pixels de départ suivantes : largeur = 1 800 px, hauteur = 1 150 px. Son poids est de 6 Mo environ ! Il est inutile de préciser qu'une telle image n'a rien à faire sur Internet et nécessite d'être optimisée.

2 Pour connaître les dimensions de votre image, activez le menu **Image/Redimensionner/Taille de l'image**. Seule la rubrique *Dimensions de pixels* présente un intérêt puisque, une fois encore, il s'agit d'affichage, et non d'impression.

3 La taille d'un écran de 15 pouces correspond habituellement à 800×600, et celle d'un moniteur 17" est de 1 024×768. Appliquez donc à l'image une largeur de 800 pixels. La hauteur va s'adapter automatiquement, si vous avez pris soin de cocher la case *Conserver les proportions*. Validez par OK.

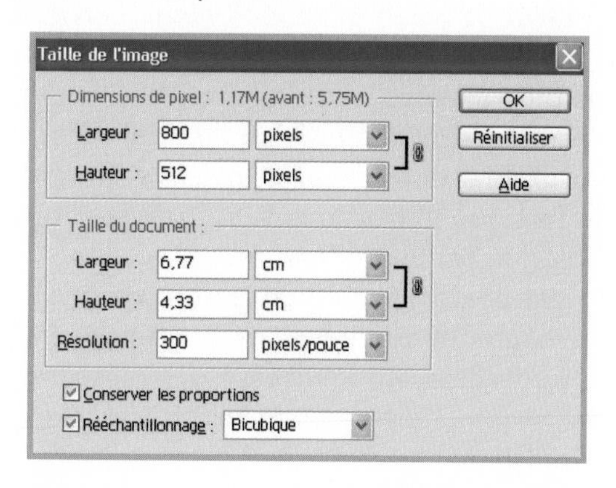

4 L'image s'affiche dans l'interface de Photoshop Elements. Sélectionnez l'outil **Zoom** (Z) et, dans la barre d'options de cet outil, cliquez sur l'icône *Taille réelle des pixels*. L'image apparaît telle qu'elle s'affichera dans un navigateur Internet. Si cette taille est encore trop grande, revenez à l'étape précédente et diminuez la largeur de pixels.

5 Activez le menu **Fichier/Enregistrer sous** (Ctrl+Maj+S). Après avoir attribué un nom au fichier, sélectionnez le format *JPEG*. Notez qu'il n'est pas utile de cocher la case *Profil ICC*, davantage en rapport avec l'impression. Cliquez sur **Enregistrer**.

6 Voici la boîte de dialogue où tout se joue ! Le curseur de *Qualité* va de 1 (fichier compact), pour une qualité d'image médiocre, à 12 (fichier volumineux) pour une qualité parfaite. La première valeur compresse énormément, la seconde pratiquement pas. Dans cet exemple, une valeur moyenne de *5* convient.

7 Ensuite, sélectionnez l'option *Progressif optimisé* avec *3 passages* de façon que le navigateur affiche l'image progressivement, et non d'un coup (l'internaute attend devant une page blanche que l'image finisse de se télécharger).

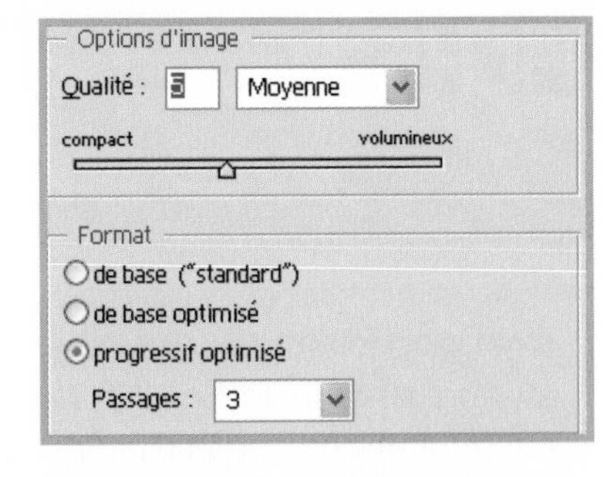

8 L'élément le plus important est la taille. Pour une qualité d'image moyenne (*5*), l'image de cet exemple pèse environ 90 Ko. Sa vitesse d'affichage (complet) est de 16 secondes environ, pour un débit de 56 Kbit/s. Pour connaître la vitesse d'affichage pour un débit supérieur, déroulez la liste ad hoc et sélectionnez par exemple *512 Kbit/s* (pour l'ADSL). Résultat : 1,73 secondes. Si ces vitesses (notamment pour un débit lent) vous paraissent encore trop élevées, baissez d'un cran la valeur de qualité de l'image. Photoshop recalcule immédiatement le nouveau poids et la nouvelle vitesse. Un conseil : contentez-vous de valeurs moyennes pour la qualité. Validez par OK.

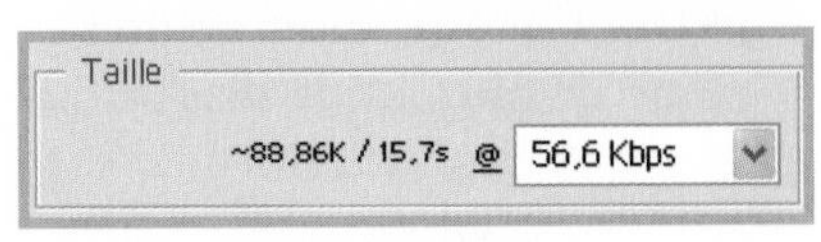

9 Conclusion : l'image d'origine pesait près de 6 Mo, l'image compressée ne pèse plus que 90 Ko.

Avec l'option *Sauvegarder pour le Web*, vous auriez obtenu un fichier sans doute plus léger (vous auriez grappillé quelques modestes secondes de téléchargement), mais bien plus détérioré car souffrant d'artefacts dus à une trop forte compression. Votre fichier, tel que vous l'avez compressé, est à la fois léger et propre ! Si vous n'êtes pas convaincu de l'intérêt de négliger la résolution, reprenez cet exercice en décochant la case *Rééchantillonage* (les dimensions de pixels sont bloquées) et en attribuant une résolution de 999 pixels par pouce. Le poids de l'image ne varie pas d'un iota, et sa qualité d'affichage est strictement identique.

FICHE 33 Protéger des images avec un copyright visible

Il est particulièrement simple de s'approprier des images lorsqu'on surfe sur le Net. Un clic sur le bouton droit de la souris ouvre un menu contextuel qui donne accès à la fonction Enregistrer l'image sous. En un rien de temps, vous disposez d'une image de plus sur le disque dur. La question qui se pose, outre celle des droits d'auteur, est l'appropriation par autrui des images affichées sur un site perso. Grâce à Photoshop Elements 2.0, vous allez apprendre à créer un copyright visible qui dissuadera les internautes indélicats de s'accaparer votre œuvre tout en préservant la lisibilité du cliché. Voici un exemple d'image protégée.

LISTE

Les outils utilisés :

- Sur le CD : Adobe Photoshop Elements 2.0, *www.adobe.fr.*

1 Faites glisser depuis l'Explorateur de fichiers l'image que vous souhaitez protéger. Sélectionnez l'outil **Texte** (T) et cliquez sur un angle de l'image. À l'extrémité droite de la barre d'options de l'outil **Texte** réside un carré de couleur. Cliquez sur ce carré pour ouvrir le Sélecteur de couleurs. En face des cases *R*, *V* et *B*, entrez la

valeur 128, qui correspond à un gris moyen, à mi-chemin entre le blanc pur (255) et le noir complet (0). Validez par OK.

2 Saisissez la mention de protection de votre choix ou, mieux, intégrez le pictogramme habituel du copyright. Pour ce faire, tout en maintenant la touche Alt enfoncée, appuyez sur les touches suivantes du pavé numérique de votre clavier : 0 1 6 9. Choisissez une taille de caractères assez importante, en veillant à ce que le pictogramme ne masque pas toute l'image. Validez via le bouton de validation de la barre d'options de l'outil **Texte**.

3 Ouvrez la palette *Effets* (menu **Fenêtre/Effets**). Dans la liste déroulante, sélectionnez l'option *Effets de texte*. Assurez-vous que le calque de texte (celui de votre copyright) est bien sélectionné dans la palette *Calques* et appliquez l'effet *Estampage net*. Rangez la palette *Effets* dans le conteneur de palettes.

4 Observez la palette *Calques*, et plus précisément le calque de texte. À droite de la mention de copyright figure une icône représentant la lettre F. Double-cliquez sur cette icône pour ouvrir la boîte de dialogue des paramètres de style de l'effet de texte. Vous allez modifier la taille du biseau, trop importante. Pour cela, déplacez le curseur de 6 (valeur courante) à 2. Le copyright perd de son relief dans l'image. Validez par OK.

5 La dernière étape consiste à modifier le mode de fusion du calque de texte. Cliquez avec le bouton droit sur ce calque, puis sélectionnez **Simplifier le calque**. Déroulez la liste située sous l'onglet *Calques* et choisissez le mode de fusion *Incrustation* si votre image est à dominante claire. Si sa dominante est plus foncée, essayez le mode *Superposition* ou *Lumière crue*. Vous pouvez ajuster la visibilité du copyright en jouant avec le curseur d'opacité de la palette *Calques*, le but étant de trouver un parfait équilibre entre lisibilité de l'image et visibilité du copyright.

FICHE 34 Ajouter un filigrane à une image

Il s'agit d'une protection quasi professionnelle des images. Recourez à ce type de protection si vos photos sont (ou pourraient devenir) une source de revenus et si vous souhaitez écarter tout risque en termes de droits. C'est une solution payante en ligne, disponible sur le site du numéro un mondial Digimarc. Le filigrane est invisible à l'écran ou après impression. Il consiste en un code digital intégré à votre fichier numérique, lisible sur une plate-forme informatique et évidemment unique au monde. Pour vous convaincre de l'efficacité de cette solution, Paint Shop Pro 8 vous propose une fonction permettant de l'essayer gracieusement.

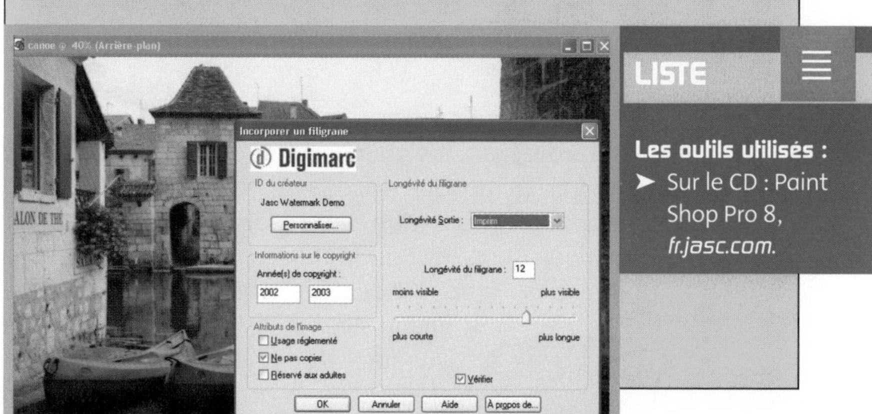

LISTE

Les outils utilisés :

➤ Sur le CD : Paint Shop Pro 8, *fr.jasc.com.*

1 Sélectionnez, via le menu **Fichier/Ouvrir**, l'image à protéger. Activez maintenant le menu **Image/Filigrane/Incorporer un filigrane**. Dans la rubrique *ID du créateur* est inscrite la mention initiale *Jasc Watermark Demo*. Pour obtenir un identifiant personnel qui authentifiera toutes vos images, il vous suffira, par la suite, de vous inscrire sur le

site Web de Digimarc et d'y suivre la procédure remarquablement bien détaillée qui y figure. Pour l'heure, nous en sommes à la phase de test : cliquez sur le bouton **Personnaliser**. Jasc Software vous attribue un numéro d'ID fictif, ainsi qu'un code de protection pour l'image sélectionnée. Cliquez sur OK. Notez la présence du bouton **S'enregistrer** qui mène directement au site de Digimarc.

2 Entrez l'année de copyright de votre image. Attention, vous ne pouvez définir une protection que pour une photo comprise entre 1922 et l'année en cours. La rubrique *Attributs de l'image* permet de décider des restrictions propres à votre image. Trois possibilités sont proposées. La rubrique *Longévité du filigrane* impose de connaître le support de destination principal de votre image. Ainsi, si l'image est vouée à être vue sur le Net, vous sélectionnerez l'option *Moniteur* (attention, la résolution de votre image doit être inférieure à 200 dpi). Si vous souhaitez imprimer l'image, sélectionnez l'option *Impression*. Notez que la résolution doit être supérieure ou égale à 300 dpi. Le curseur de *visibilité/longévité* s'adapte selon votre choix en proposant des valeurs par défaut. Pour

finir, cochez la case *Vérifier* et cliquez sur OK. Une fenêtre de vérification apparaît vous informant des caractéristiques de votre filigrane. Pensez également à sauvegarder votre image, qui s'est vue enrichie d'une protection invisible.

3 Désormais, votre image possède une identité propre… Enfin, pas tout à fait, puisqu'il ne s'agissait que d'une demo proposée par l'éditeur de Paint Shop Pro. Pour lire un filigrane, ouvrez l'image puis activez le menu **Image/Filigrane/Lire le filigrane**. L'ID créateur est celle de Jasc Software, l'année de copyright est bien celle que vous avez indiquée et les attributs ont été respectés. Si cette méthode de protection vous attire et que vous possédez de nombreuses images à protéger, cliquez sur **Web** pour souscrire un abonnement à Digimarc. Notez pour être complet qu'un logiciel comme Photoshop, via le menu **Fichier/Information**, permet de lire aussi le filigrane d'une image.

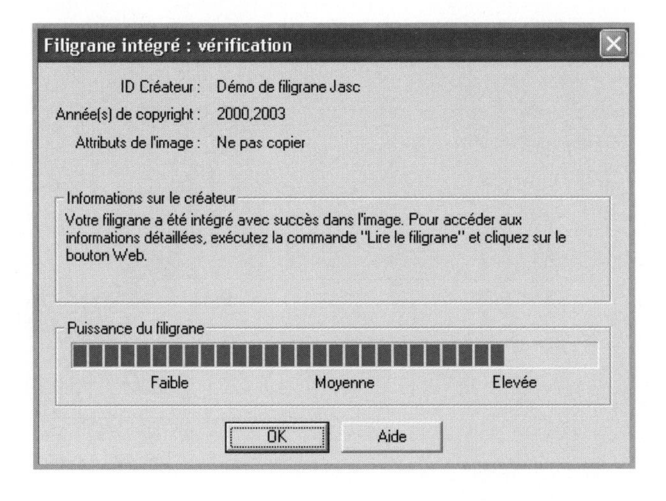

Soigner la présentation des images

Les supports de destination d'une image numérique ne sont pas nombreux. Or, qu'il s'agisse d'un affichage sur écran informatique ou d'une impression sur papier, la présentation des images est malheureusement négligée. De la même manière qu'on n'imagine pas une toile de maître mal éclairée ou un concert mal sonorisé, il est regrettable de ne pas présenter des images en y mettant les formes.

Dans ce chapitre, vous trouverez bon nombre d'idées de présentation pour vos plus beaux clichés, que ceux-ci soient imprimés ou qu'ils fassent la joie des internautes de votre site perso. Les encadrements et bordures sont facilement réalisables grâce aux effets prédéfinis de Photoshop Elements 2.0 ou de Paint Shop Pro. Les nombreux trucs et astuces qui suivent permettent d'améliorer les légendes qui souvent accompagnent les photographies.

FICHE 35 Appliquer un cadre en bois

Pour améliorer la présentation de vos images en vue d'un affichage sur votre site perso ou sur un diaporama au format PDF par exemple, cette fiche décrit les différents styles de cadre que propose Paint Shop Pro. Vous concentrerez vos efforts de création sur un cadre en bois (un autre aspect des cadres sous Paint Shop Pro est traité à la fiche suivante).

LISTE

Les fichiers du CD :
- 15226.jpg

Les outils utilisés
- Sur le CD : Paint Shop Pro 8, *fr.jasc.com.*

1 Vous venez de lancer Paint Shop Pro 8. Activez maintenant le menu **Fichier/Ouvrir** (Ctrl + O) et partez à la recherche de l'image sur laquelle vous êtes désireux d'appliquer un effet d'encadrement. L'image trouvée, cliquez sur *Ouvrir*. Notez que la rubrique *Informations sur l'image / Aperçu* vous permet de visualiser votre photo avant de l'ouvrir.

2 Activez maintenant le menu **Image/Cadre**. S'ouvre alors un assistant de création qui va singulièrement vous faciliter le travail. Cliquez sur la vignette du cadre par défaut et sélectionnez l'option *Bois mat*. Comme vous pouvez le constater, Paint Shop Pro 8 vous

offre une grande quantité de cadres prédéfinis. Il va sans dire que le processus de création s'adapte également à tout autre type de cadre.

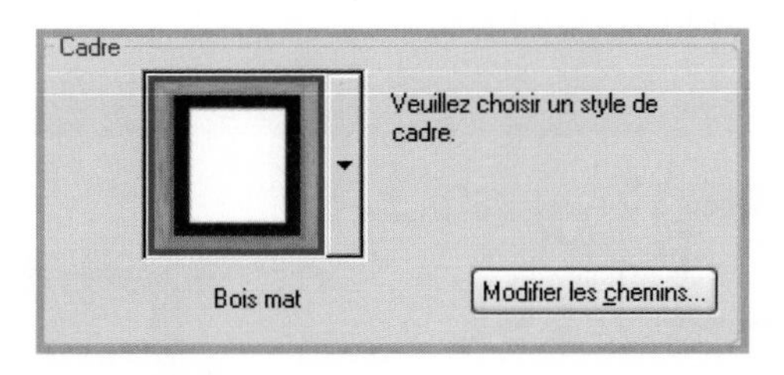

3 Comme le précise la rubrique *Couleur de la transparence*, ce cadre ne contient aucun canal Alpha comprenant des zones transparentes à remplir d'une couleur d'arrière-plan. Ceci est propre au cadre choisi dans cet exemple, mais d'autres cadres nécessitent de définir une couleur d'arrière-plan pour remplir des zones de transparences.

4 Passez enfin à la rubrique *Orientation* de l'assistant de création. Deux choix possibles à cette étape. Le premier (*Cadre dans l'image*) va incruster le motif dans votre photo. Cela implique que les pixels qui forment le contours de l'image vont se voir recouverts du cadre. Choix par conséquent à proscrire si des détails importants de la photo sont situés sur ces bords. Vous choisirez dans ce cas la seconde option :

LE BON NOMBRE DE COULEURS +

L'exercice qui consiste à appliquer un cadre à une image avec l'assistant de Paint Shop Pro ne peut fonctionner que si l'image est codée en 24 bits, soit 16,7 millions de couleurs. Si tel n'est pas le cas, la fonction **Cadre** n'est accessible. Pour savoir combien de couleurs compte l'image, activez le menu **Image/Compter les couleurs de l'image**. Pour augmenter le nombre de couleurs, lancez **Image/Augmenter le nombre de couleurs/ 16 millions de couleurs (24 bits)**. Dès lors, la commande **Cadre** est accessible.

Cadre autour de l'image. Dans un tel cas de figure votre photo ne sera pas tronquée, mais elle va voir ses dimensions augmenter. C'est le choix que nous ferons pour illustrer cette fiche. Laissez enfin les trois cases qui suivent décochées.

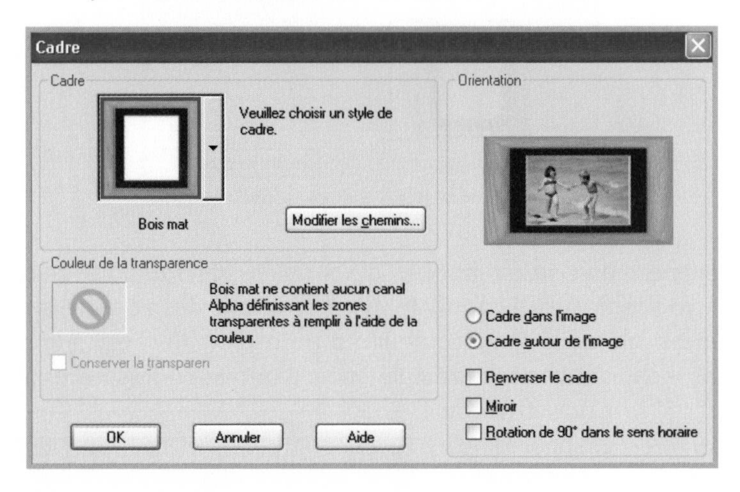

5 Il ne vous reste plus qu'à valider votre création en cliquant sur le bouton OK… et à admirer le résultat. En enregistrant votre création, vous constaterez que le cadre n'a guère contribué à augmenter le poids de votre fichier.

FICHE 36 Ajouter une bordure déchirée

Variante de la fiche précédente, l'ajout d'un cadre aux contours déchirés apporte un aspect particulièrement esthétique, notamment quand il est appliqué aux images en noir et blanc. N'en abusez pas toutefois, vous risqueriez de lasser vos admirateurs. Notez aussi que si vous souhaitez appliquer cet effet d'encadrement à une photographie en couleur, il est impératif d'ouvrir une image en 24 bits minimum, soit 16,7 millions de couleurs (voir encadré de la fiche précédente). Ceci vous est précisé car vous pouvez parfaitement obtenir une image en noir et blanc et en couleur RVB. Il suffit juste de désaturer les couleurs. Enfin, vous apprendrez à télécharger sur Internet de nouveaux cadres afin d'augmenter votre potentiel de création.

LISTE

Les fichiers du CD :
➤ Cottage.jpg
Les outils utilisés :
➤ Paint Shop Pro 8, *fr.jasc.com.*

ETAPE 1 Sélectionner l'encadrement

1 Ouvrez l'image à encadrer et activez le menu **Image/Cadre**. Dans la liste déroulante, sélectionnez le modèle *Craie 02*. Les autres modèles de type Craie conviennent tout aussi bien, ainsi que les modèles de type *Coup de pinceau*.

2 Définissez l'emplacement du cadre. Soit il est inscrit dans l'image (et risque de tronquer celle-ci des pixels en bord de cadre), soit il se situera (ce sera notre choix) *autour de l'image*, cette option permettant à la quasi-totalité de notre image d'être visible. Enfin, vous pouvez cocher les trois cases permettant d'affiner l'orientation de votre cadre. Validez via le bouton OK. Vous pouvez enregistrer votre travail.

ETAPE 2 Télécharger de nouveaux cadres

3 Internet regorge de cadres, brosses ou autres masques librement téléchargeables. Lancez votre navigateur préféré et dans le champ de recherche d'un moteur comme Google (*www.google.fr*), entrez l'expression suivante, sans oublier les guillemets : *« frames for Paint Shop Pro »*. De très nombreux sites s'offrent alors à vous, dans lesquels vous pourrez butiner à votre guise à la recherche des cadres les plus originaux.

4 La plupart du temps, ces cadres sont téléchargeables sous la forme de fichiers Zip. Définissez un emplacement de sauvegarde, puis, une fois la connexion fermée, décompressez le fichier Zip de manière à exporter son contenu dans le répertoire adéquate. Comme c'est probable, ce répertoire est situé selon le chemin suivant : *C:\Program Files\Jasc Software Inc\Paint Shop Pro 8\Cadres*.

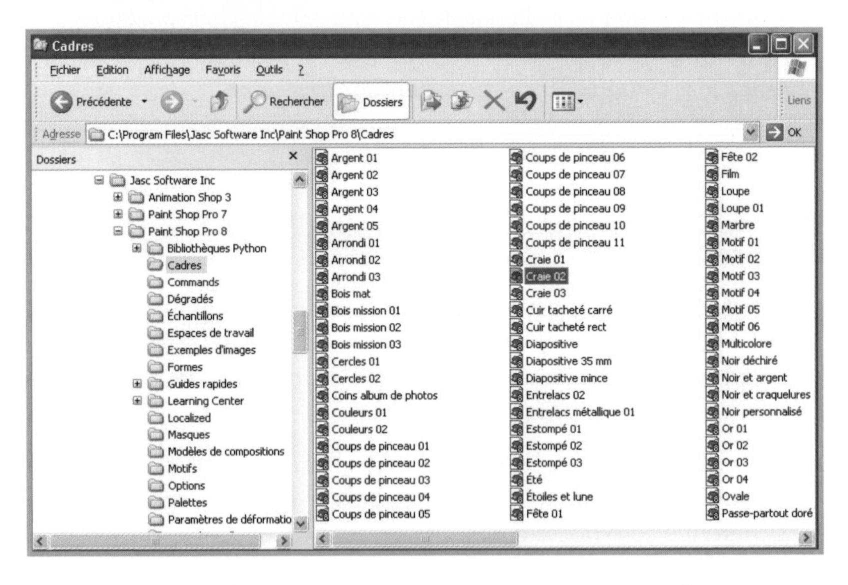

5 Lorsque vous déciderez d'appliquer votre nouveau cadre à une image, il vous suffira de répéter l'étape 1 et de sélectionner le cadre qui figurera alors dans la liste habituelle.

FICHE 37 Ajouter un cadre biseauté

Les graphistes ont l'habitude d'utiliser la fonction Biseau de Photoshop sur des effets de texte. Avec des paramètres de style aussi maniables que ceux de Photoshop Elements, il est simple de concevoir un encadrement pour le moins original, utilisant les pixels de l'image, et non un modèle prédéfini d'encadrement.

LISTE

Les fichiers du CD :
- Venise2.jpg.

Les outils utilisés :
- Sur le CD : Adobe Photoshop Elements 2.0, *www.adobe.fr.*

1 Ouvrez l'image que vous souhaitez encadrer dans l'interface de Photoshop Elements 2.0. Ouvrez la palette *Calques*, via le menu **Fenêtre/Calques**. Si l'image comprend plusieurs calques, il est préférable de les aplatir via le menu **Calque/Aplatir l'image**. Ouvrez la palette *Styles de calque* (**Fenêtre/Styles de calque**). Disposez les deux palettes et l'image de manière à pouvoir passer de l'une à l'autre aisément.

2 Dans la palette *Styles de calque*, déroulez la liste et sélectionnez l'option *Biseaux*. S'affichent les dix formats de biseaux qu'offre Photoshop Elements 2. Les premiers styles prédéfinis sont assez basiques

et ne simulent pas vraiment un encadrement, mais plutôt des boutons. Pensez-y pour vos créations destinées au Web. Cliquez sur le style *Inflexion interne*. Parce que vous ne pouvez appliquer un style à un d'arrière-plan, Elements 2.0 vous propose de le convertir en calque. Cliquez sur OK.

3 Dans la boîte de dialogue qui suit, laissez la mention proposée par Photoshop en l'état et cliquez sur OK.

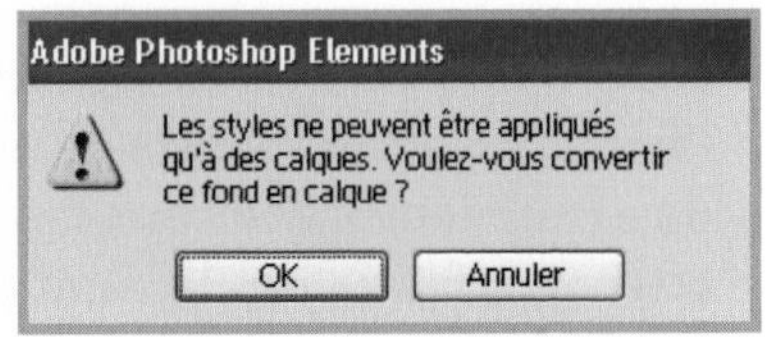

Les bords de l'image reflètent immédiatement les paramètres du style précédemment sélectionné. Notez que cet encadrement est fondé sur un petit nombre de pixels. Par conséquent, si l'image est d'une grande taille, le cadre paraît très fin. Mais vous pouvez intervenir…

4 Dans la palette *Calques*, plus précisément sur le *Calque 0*, un bouton représentant un petit f est venu se greffer depuis l'application du style *Inflexion interne*. Double-cliquez sur ce bouton pour ouvrir la boîte de dialogue **Paramètres de style**. Le seul curseur accessible concerne la taille du biseau. Déplacez-le vers la droite pour agrandir le cadre de l'image. Cochez la case *Aperçu*. Vous pouvez laisser les autres paramètres par défaut. La taille étant définie selon vos goûts, validez par OK.

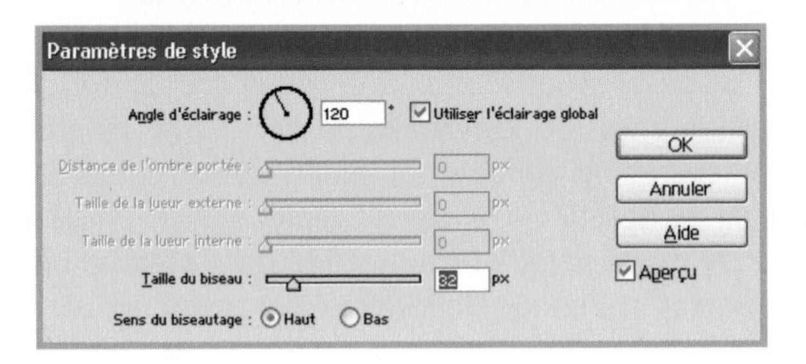

5 Sauvegardez l'image. Notez qu'une variante est possible avec le biseau *Lisière à picot*. Cliquez sur l'icône *Effacer le style* pour annuler les effets du précédent calque.

FICHE 38 Ajouter une ombre portée sous une image

Si vous parcourez le Net à la recherche de sites perso consacrés à la photographie, vous tomberez fréquemment sur des sites rivalisant d'imagination pour la présentation des images. D'une apparence compliquée, ces diverses présentations sont souvent obtenues en quelques clics. Voici un petit exercice très simple, qui embellira la présentation de vos images sur un site web ou sur toute autre présentation multimédia (CD-Rom, diaporama...). Il s'agit de déposer une ombre portée sous une photographie. Après le paramétrage de l'image de départ, vous créerez le support (une simple feuille blanche), puis l'ombre portée sous la photo, puis positionnerez celle-ci sur le support.

LISTE

Les fichiers du CD :

- Barque.jpg.

Les outils utilisés :

- Sur le CD : Adobe Photoshop Elements 2.0, *www.adobe.fr.*

1 Ouvrez l'image sous laquelle vous souhaitez appliquer une ombre portée en la faisant glisser depuis l'Explorateur de fichiers jusqu'au milieu de l'interface. Vous allez commencer par modifier la taille d'affichage de l'image. Pour ce faire, cliquez du bouton droit sur la barre

de titre de la photo. Dans le menu contextuel qui s'ouvre, sélectionnez **Taille de l'image**.

2 Après avoir coché la case *Conserver les proportions*, définissez une largeur de *800 pixels* ; la hauteur s'adaptera automatiquement. Notez bien ces nouvelles dimensions, ainsi que la résolution de l'image. Vous aurez besoin de ces trois chiffres. Validez par OK. Notez que ces dimensions sont subjectives et correspondent à un affichage de taille moyenne. Vous êtes libre de définir des tailles différentes ou de laisser celles en cours, le plus important étant de se souvenir des dimensions appliquées.

3 Créez un nouveau document (Ctrl+N). Il servira de support à l'image avec l'ombre portée. Il doit être par conséquent plus grand que l'image de départ de manière à laisser apparaître le futur dessin de l'ombre. Augmentez donc les largeur et hauteur de 100 pixels, soit *Largeur* = *900 pixels* et *Hauteur* = (vos dimensions + 100 pixels). Appliquez la même résolution. Le mode est *Couleurs RVB*. Remplissez le nouveau document de *Blanc*. Validez par OK.

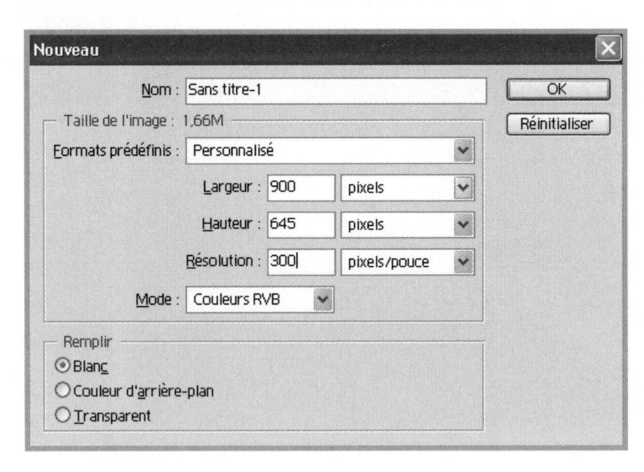

4 Sélectionnez de nouveau l'image et activez l'outil **Déplacement** (V) dans la barre d'outils. Les deux images (la vôtre et le fond blanc) étant côte à côte, cliquez sur votre photo, gardez le bouton gauche de la souris enfoncé, et faites-la glisser sur le fond blanc. Relâchez le

bouton de la souris dès lors que le pointeur est accompagné d'un petit signe +.

5 Avec le même outil **Déplacement**, ou à l'aide des flèches de votre clavier, disposez votre image sur son support blanc de manière à centrer la photo. Activez la palette *Styles de calque* (**Fenêtre/Styles de calque**). Dans la liste déroulante, sélectionnez l'option *Ombre portée*. Cliquez sur le style *Forte*. La photo se pare instantanément d'une ombre portée.

6 Pour affiner cette ombre, ouvrez la palette *Calques* (**Fenêtre/Calques**). L'image, devenue un calque à part entière, porte le nom de *Calque 1*. À sa droite est venu se greffer un bouton représentant un **f**. Double-cliquez sur ce bouton pour afficher les paramètres de l'ombre portée. Déplacez le curseur *Distance de l'ombre portée* pour éloigner ou rapprocher l'ombre de la photo. Validez par OK.

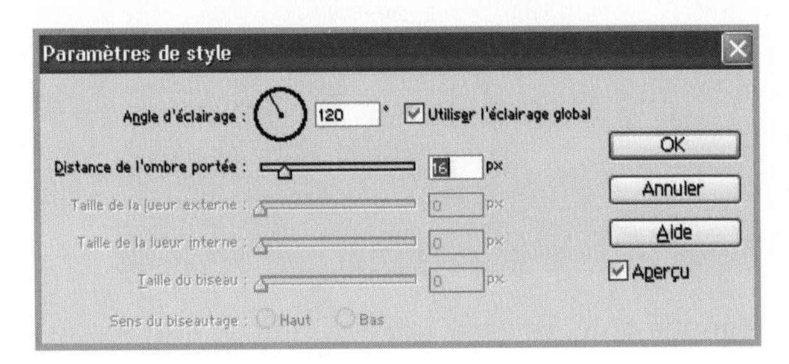

7 Votre image se présente d'une façon plus originale grâce à la présence de cette ombre. Enregistrez le fichier au format JPEG. Cette sauvegarde aplatit l'image automatiquement.

FICHE 39 Appliquer un texte avec une ombre portée sur une image

Vos images vous servent peut-être à embellir des présentations telles que des invitations, des faire-part, des documents professionnels, etc. Que diriez-vous d'appliquer une ombre portée à un texte figurant sur ce type d'image ? Cela changera l'aspect global de la composition. Cette fiche explique comment rédiger un texte et lui appliquer une ombre portée.

LISTE

Les fichiers du CD :

➤ Ciel.jpg.

Les outils utilisés :

➤ Sur le CD : Adobe Photoshop Elements 2.0, *www.adobe.fr.*

1 Ouvrez l'image dans laquelle vous souhaitez intégrer un texte en la faisant glisser dans l'interface de Photoshop Elements 2.0 depuis l'Explorateur de fichiers. Choisissez une image disposant d'un espace aux couleurs moyennes. L'illustration qui accompagne cette fiche présente un ciel bleu.

2 Activez l'outil **Texte** (T) puis cliquez dans l'image, sans vous préoccuper de la police, de sa taille et de sa couleur. Rédigez le texte, puis faites Ctrl+A pour sélectionner l'ensemble des caractères saisis. Observez la barre d'options de l'outil **Texte**.

Commencez par définir la typo qui vous convient, puis attribuez-lui une taille. Pour cet exemple, choisissez *Futura Md BT*, dans une taille *25 pt*. La couleur du texte est le blanc. Cliquez sur *Valider toutes les modifications en cours*, au bout de la barre d'options.

3 Ouvrez la palette *Calques* (**Fenêtre/Calques**). Vous constatez qu'au texte que vous venez de rédiger correspond un calque à part entière. Cliquez sur ce calque, puis faites-le glisser en bas de la palette sur l'icône *Créer un nouveau calque*. Cela a pour effet de dupliquer le calque de texte, la copie venant se glisser sur le calque original.

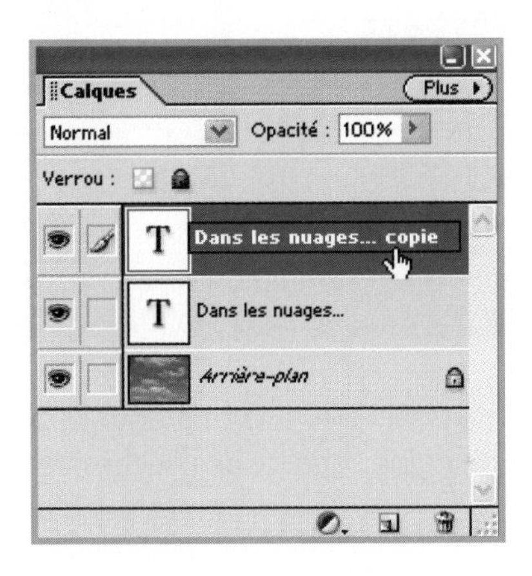

4 Dans Photoshop, c'est toujours le calque au-dessus de la pile qui reste visible, cachant (sauf utilisation des modes de fusion) les calques inférieurs. Ainsi, pour simuler une ombre portée (par définition sous le texte), sélectionnez le calque de texte d'origine. Cliquez sur le texte et faites Ctrl+A pour sélectionner l'ensemble des caractères. Dans la barre d'options de l'outil **Texte**, cliquez dans le sélecteur de couleurs et transformez le blanc en noir. Attribuez une valeur de *0* aux champs *R*, *V* et *B*. Validez par OK. Le texte est maintenant noir… même si vous ne le voyez pas. Pour vous en assurer, cliquez sur l'œil du calque *Votre texte copie*. Le calque d'origine apparaît.

5 Le calque de texte original étant sélectionné, activez le menu **Filtre/Atténuation/Flou gaussien**. Photoshop vous informe qu'il est nécessaire de simplifier le calque. Répondez par l'affirmative. Dans la boîte de dialogue **Flou gaussien**, définissez une valeur de rayon de *3,5* à *4 pixels*. Validez par OK.

6 Activez l'outil **Déplacement** (V) en prenant soin de sélectionner le calque de texte d'origine. À l'aide des flèches de votre clavier, déplacez ce calque de quelques millimètres en bas et à droite. Vous pouvez faire réapparaître le calque *Votre texte copie* auquel s'est désormais ajoutée une ombre portée.

D'AUTRES OMBRES SONT DISPONIBLES

Photoshop Elements 2.0 ne dispose pas d'un effet de texte ajoutant une ombre portée. Heureusement, d'autres effets de texte sont à votre disposition. Aussi spectaculaires, ils sont encore plus simples à réaliser puisqu'il suffit de faire glisser l'effet sur l'image, le calque de texte étant bien entendu préalablement sélectionné.

FICHE 40 Habiller un texte avec une image

Pour poursuivre ce chapitre sur les différentes formes de présentations des images, vous allez apprendre à habiller un texte avec l'une de vos images. Ce procédé très simple est souvent employé dans des présentations multimédias ou des sites web. Il nécessite une image, un nouveau document et la définition de quelques paramètres, notamment la taille du document, sa résolution et surtout la police de caractères.

LISTE

Les fichiers du CD :
➤ 032.jpg.
Les outils utilisés :
➤ Sur le CD : Adobe Photoshop Elements 2.0, *www.adobe.fr*.

1 Faites glisser dans l'interface de Photoshop Elements l'image avec laquelle vous souhaitez habiller le texte. Pour préserver l'original de votre photo, dupliquez-la via le menu **Image/Dupliquer l'image**. Validez le message qui suit et fermez le fichier d'origine.

2 Activez le menu **Image/Redimensionner/Taille de l'image** et notez la hauteur et la largeur en pixels, ainsi que la résolution de l'image. Fermez cette boîte de dialogue via le bouton **Annuler**. Créez un document ayant les mêmes dimensions de pixels, la même résolution et le même mode colorimétrique que l'image ouverte. Remplissez cette nouvelle image de blanc (ce n'est pas une obligation, mais le texte sera bien plus visible).

+ UN RACCOURCI BIEN PRATIQUE

Au lieu d'afficher la boîte de dialogue **Dupliquer l'image** dans laquelle Photoshop Elements vous propose de valider le nouveau nom (nom de votre image suivi de copie) de votre fichier, appuyez sur Alt et, tout en conservant la touche enfoncée, activez le menu **Image/Dupliquer l'image**. La copie de la photo est instantanément créée.

3 Sélectionnez l'outil **Texte** (T) et rédigez un mot, un titre ou un court texte au milieu de l'image vierge fraîchement créée. La couleur de la police n'a aucune importance pourvu qu'elle ne soit pas blanche (auquel cas vous ne verriez pas le texte). Pour modifier la couleur, cliquez dans le carré de couleur situé sur la droite de la barre d'options de l'outil **Texte**.

4 Vient le choix de la police. Le but de l'exercice est d'habiller un texte avec une image, en lieu et place d'une couleur quelconque. Il est donc conseillé de choisir une police de caractères ayant un corps assez large, et idéalement un espacement de caractères réduit, de manière à distinguer au mieux l'image. Essayez *Franklin Gothic*, *Futura*, *Kabel*, *Rockwell* ou encore *Impact*, utilisé dans cet exemple. La taille du texte est à votre convenance ; vous pouvez saisir une valeur directement dans la zone *Définir le corps* ou bien le sélectionner dans la liste.

5 Sélectionnez la photo et activez l'outil **Déplacement** (V). Faites glisser la photo sur l'image où réside le texte. L'image cache le texte. Ouvrez la palette *Calques* (**Fenêtre/Calques**). Vous constatez que le calque importé (votre image) est placé au-dessus du calque de texte. L'erreur serait de faire glisser le calque de l'image sous le calque de texte. Activez le menu **Calque/Associer au calque précédent** (Ctrl+G) : votre image habille le texte que vous venez de rédiger.

6 N'oubliez pas que votre image reste un calque à part entière (il est simplement lié, non fusionné au calque inférieur). Par conséquent, vous pouvez toujours travailler dessus. Par exemple, à condition que le calque de votre image soit sélectionné, l'outil **Déplacement** vous permet de bouger l'image sous le texte de manière à obtenir un parfait ajustement. La combinaison Ctrl+T fait apparaître, à chaque angle du calque de l'image, des poignées de redimensionnement qui permettent d'agrandir ou de rétrécir l'image. Redimensionner grâce aux poignées, tout en appuyant sur la touche Maj, conserve les proportions de l'image de fond.

FICHE 41 Intégrer une légende sur un arrière-plan opaque

Toujours dans le souci d'améliorer vos présentations web ou multimédias, vous allez apprendre à intégrer une légende sur fond opaque. Rien de bien compliqué à cela…

Les fichiers du CD :

- 029.jpg.

Les outils utilisés :

- Sur le CD : Adobe Photoshop Elements 2.0, *www.adobe.fr.*

1 Déposez dans l'interface de Photoshop Elements 2.0 l'image sur laquelle vous souhaitez appliquer une légende. Activez le menu **Fenêtre/Effets**, puis le menu **Fenêtre/Calques**. Agencez à l'écran les deux palettes de manière à ce qu'elles ne cachent pas l'image.

2 Dans la barre d'outils, sélectionnez le **Rectangle de sélection** (M). Notez qu'à cette même place dans la barre d'outils, figure également l'outil **Ellipse de sélection**. Si, par hasard, cet outil était sélectionné, cliquez et laissez quelques courtes secondes le bouton de la souris enfoncé. Un menu apparaît. Sélectionnez l'outil adéquat. Tracez un rectangle au sein de l'image. Ce rectangle sera le support opaque sur lequel reposera la légende. Ne vous souciez

pas de sa taille. Vous verrez par la suite comment modifier les dimensions du support de manière à les adapter à la légende. Le rectangle étant tracé, relâchez la souris : la sélection apparaît sous la forme de pointillés.

3 Affichez la palette *Effets* et sélectionnez dans la liste déroulante l'option *Cadres*. Cliquez sur *Panneau de texte*. Cet effet, contrairement à la plupart des autres, ne s'applique qu'à une sélection. Soit vous cliquez sur l'icône *Appliquer* de la palette, soit vous faites glisser et déposez la vignette de l'effet sur l'image. Dans les deux cas, la sélection se pare d'un fond opaque et d'une ombre portée. Fermez la palette *Effets*.

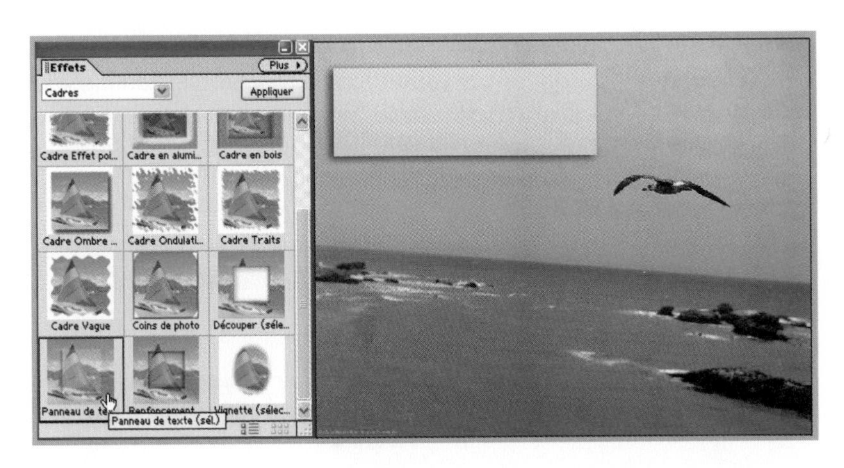

4 Comme le montre la palette *Calques*, la sélection, agrémentée de l'effet *Panneau de texte*, s'est transformée en calque. À droite du *Calque 1* figure un F ; double-cliquez sur ce bouton. La boîte de dialogue **Paramètres de style** s'ouvre. Le seul curseur disponible permet de régler la distance de l'ombre portée. Si vous le souhaitez, réduisez ou augmentez celle-ci en déplaçant le curseur. Si la distance vous paraît correcte (cochez la case *Aperçu* pour voir les modifications en temps réel), validez par OK. Le support pour la légende est presque prêt. Il ne reste plus qu'à adapter sa taille, ce que vous ferez une fois le texte rédigé.

5 Activez l'outil **Texte** (T), cliquez sur le support opaque à ombre portée et rédigez la légende. La barre d'options de l'outil **Texte** vous permet d'affiner la typo de la légende, ainsi que sa taille et sa couleur. Donnez la priorité au texte, en termes d'emplacement sur l'image et de dimensions, le rectangle opaque s'adaptant par la suite. Validez le texte via l'icône *Valider toutes les modifications en cours* de la barre d'options, puis, à l'aide de l'outil **Déplacement** (V), repositionnez le texte si nécessaire.

6 Le texte est à sa place définitive sur l'image. Dans la palette *Calques*, sélectionnez le *Calque 1* correspondant au rectangle. Comme vous le constatez, des poignées de redimensionnement à chaque angle et au milieu de chaque côté du rectangle sont disponibles. Adaptez le rectangle opaque au texte, puis validez le calque.

7 Notez qu'un effet plus diffus peut être donné à la légende. En ce sens, assurez-vous que le calque de texte figure bien au sommet de la pile de calques, puis faites Ctrl+E pour fusionner le calque de texte avec le calque du rectangle. Utilisez de nouveau ce raccourci clavier pour aplatir l'image.

FICHE 42 Intégrer une légende via le menu Informations

Voici une autre méthode pour légender des photographies. Contrairement à la précédente, où l'on rédige le texte à même l'image, l'image en question étant destinée à être vue sur un moniteur de PC, sous la forme d'un site web ou d'une présentation multimédia, la procédure décrite ici a pour but d'intégrer une légende très fine, lisible après l'impression. Pour cet exercice, vous ne travaillerez pas dans l'interface habituelle de Photoshop Elements, mais dans les deux menus Informations et Aperçu avant impression.

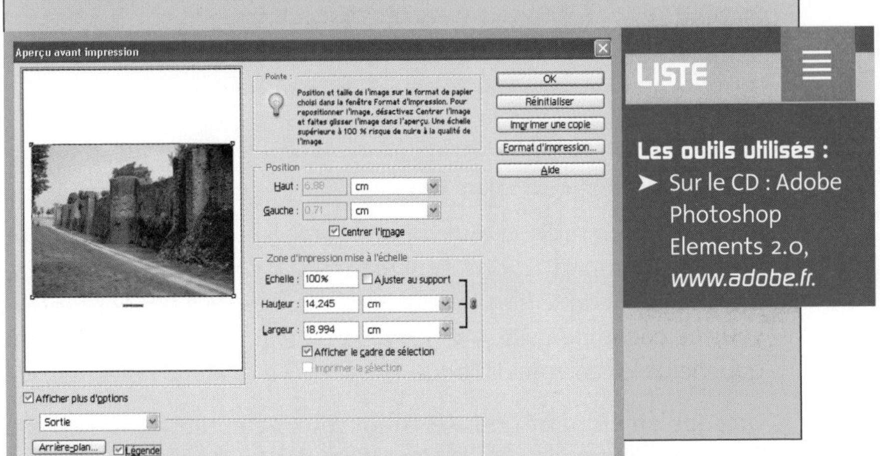

LISTE

Les outils utilisés :

- Sur le CD : Adobe Photoshop Elements 2.0, *www.adobe.fr*.

1 Sélectionnez dans votre collection d'images, la photographie à légender et à imprimer. L'image affichée, activez le menu **Fichier/Informations**.

2 Cette boîte de dialogue vous ouvre la porte à toutes les propriétés de l'image (qui n'est rien d'autre qu'un simple fichier). Par curiosité,

choisissez l'option *EXIF* de la liste déroulante *Section*. S'affiche la carte d'identité de l'image.

3 Le seul champ qui vous concerne est *Légende*. Vous disposez d'une place restreinte pour rédiger le texte. Prenez exemple sur les photographes professionnels : leurs titres sont brefs. Certains mentionnent l'année de la prise de vue. Les autres champs ne concernent pas directement cette fiche pratique ; contrairement à la légende, ils sont totalement invisibles tant sur un écran d'ordinateur que sur une feuille de papier ; ils permettent d'apporter des informations supplémentaires à l'image. La légende rédigée, cliquez sur OK.

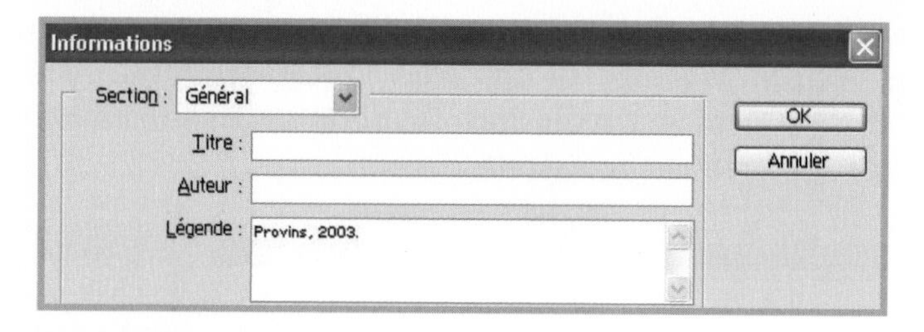

4 Offrez-vous un aperçu de votre travail. Activez le menu **Fichier/Aperçu avant impression** (Ctrl+P).

5 Passez à l'impression. Si vous avez respecté les valeurs de hauteur et de largeur propres à votre imprimante, vous n'avez pas besoin de modifier la rubrique *Zone d'impression mise à l'échelle*. Contentez-vous de cocher la case *Afficher plus d'options* située en bas et à gauche de la boîte de dialogue.

6 Un supplément d'options s'offre à vous. Sélectionnez *Légende*. Observez l'image dans la fenêtre d'aperçu. Sous celle-ci est venue s'ajouter la légende rédigée à l'étape 3. Elle est minuscule à l'œil nu. Mais rassurez-vous : elle correspond à ce que vous avez écrit. Validez cette fenêtre via le bouton OK et lancez la procédure habituelle d'impression.

FICHE 43 Intégrer une légende selon la méthode manuelle

Cette troisième et dernière fiche pratique consacrée à l'intégration de légendes dans les images explique comment utiliser l'outil de recadrage pour légender en vue d'une présentation sur moniteur ou d'une impression sur papier. Son originalité vaut surtout pour l'utilisation détournée de l'outil employé.

Parc de Beauregard, hiver 2003

LISTE

Les outils utilisés :

➤ Sur le CD : Adobe Photoshop Elements 2.0, *www.adobe.fr*.

1 Depuis l'Explorateur de fichiers, faites glisser dans l'interface de Photoshop Elements 2.0 l'image à légender, puis cliquez sur le bouton *Agrandir*, niché à droite et en haut de la fenêtre ouverte. Sélectionnez l'outil **Zoom** (Z) en position *Zoom arrière* dans la barre d'options, et diminuez la taille d'affichage de l'image de façon à laisser beaucoup d'espace autour d'elle (vous en aurez besoin). Notez que si votre souris dispose d'une molette, actionner celle-ci permet de diminuer la taille de la photo à l'écran.

2 Portez votre attention sur la couleur d'arrière-plan actuellement active dans la barre verticale d'outils. C'est sur cette couleur que

sera rédigée la légende. Il importe donc de savoir dès à présent (vous ne pourrez pas faire machine arrière plus tard) quelle sera la couleur du texte de manière à ne pas rendre le tout illisible. Pour plus de commodités et par souci d'efficacité, choisissez la couleur blanche pour l'arrière-plan et, plus tard, le noir pour le texte. Pressez la touche D pour réinitialiser les couleurs par défaut de Photoshop Elements.

3 Activez l'outil **Recadrage** (C). Le plus souvent utilisé en retouches d'images pour améliorer des cadrages bancals ou laissant apparaître des zones superficielles, l'outil de recadrage de Photoshop Elements permet, par ailleurs, d'ajouter de la « matière » autour des images. Ainsi, tracez un rectangle de recadrage englobant l'image dans son ensemble. Assurez-vous que les champs de dimension de la barre d'options sont vierges. Si tel n'est pas le cas, cliquez sur *Effacer*.

4 La zone de recadrage dispose de poignées. Accrochez une poignée d'angle avec le pointeur de la souris, puis, tout en appuyant sur Alt, étirez la surface sélectionnée. Quand vous avez ajouté une surface de même dimension de chaque côté, relâchez le bouton de la souris. Confirmez par l'icône *Valider le recadrage en cours*.

5 Une large bande blanche entoure à présent les quatre côtés de la photo. Sélectionnez l'outil **Texte** (T), puis rédigez la légende de l'image. Paramétrez cette légende (police de caractères, taille…) comme n'importe quel type de texte.

UNE PRÉCISION À TOUTE ÉPREUVE

Ajouter des surfaces de mêmes dimensions de chaque côté de l'image est un exercice périlleux. Pour vous faciliter la tâche, basculez l'affichage général de l'interface en mode Règle (Ctrl+R).

Créer devient une partie de plaisir

Fort de tous les conseils techniques fournis dans les fiches pratiques de cet ouvrage, vous êtes maintenant en mesure de vous livrer à des créations artistiques plus poussées. Vous apprendrez dans ce chapitre à transformer vos photos en album de bandes dessinées en couleur ou en noir et blanc, à exporter vos clichés en tant que tubes à images pour Paint Shop Pro, à concevoir une couverture de magazine personnelle et plus vraie que nature, etc. Vous serez étonné de vos capacités créatrices...

FICHE 44

Colorier une image

L'enfant qui sommeille en vous n'a certainement pas oublié ses premiers albums de coloriage. Les applications consacrées aux images permettent aujourd'hui de s'adonner au coloriage, sans qu'il soit nécessaire de courir chez un marchand de journaux à la recherche d'un livre à colorier. Photoshop Elements et les quelques conseils qui suivent vont vous aider à retomber enfance...

LISTE

Les fichiers du CD :

➤ 016.jpg.

Les outils utilisés :

➤ Sur le CD : Adobe Photoshop Elements 2.0, *www.adobe.fr.*

1 Faites glisser l'image à colorier dans l'interface de Photoshop Elements 2.0 et dupliquez-la via le menu **Image/Dupliquer l'image**. Avec l'outil **Zoom** (Z), diminuez la taille d'affichage du document original de manière à n'afficher qu'une vignette. Cette vignette va vous servir de point de repère pour colorier la copie.

2 Une fois la copie sélectionnée, activez le menu **Filtre/Esthétiques/Tracé des contours**. Aucune boîte de dialogue de réglage ne s'affiche pour ce filtre. Les effets sont immédiats : vous obtenez une épure de votre

image. Seuls subsistent quelques couleurs et les contours des diverses formes composant votre photo.

3 Vous allez supprimer les couleurs et ne conserver que les traits pour le coloriage (nombre de dessinateurs commencent par ébaucher les traits puis appliquent les couleurs). Ainsi, ouvrez le menu **Accentuation**, puis sélectionnez **Régler la couleur/Supprimer la couleur** (ou Ctrl+Maj+U). Voici votre base de travail.

4 Dans la palette *Calques* (**Fenêtre/Calques**), créez un nouveau calque via le bouton du même nom sis en bas de la palette. Activez l'outil **Pinceau** (B). Le but est de colorier chaque zone, les unes après les autres, comme si vous utilisiez des crayons de couleur. Ainsi, définissez tout d'abord une zone de petites dimensions (parfait pour débuter), puis, dans la barre d'options de l'outil **Pinceau**, adaptez la taille de la brosse (idéalement une brosse de type *Arrondi flou*) à la surface à colorier.

5 Pour sélectionner la couleur, vous disposez de deux possibilités. Soit vous cliquez dans le carré de couleur de premier plan de la barre d'outils, ce qui ouvre les portes du sélecteur de couleurs, soit vous affichez le nuancier (**Fenêtre/Nuanciers**). Cette seconde possibilité permet de maintenir ouverte la palette de couleurs et de gagner en confort de travail.

6 Coloriez une zone avec la couleur de votre choix. Vous pouvez vous baser sur le modèle, à savoir l'image originale réduite à la taille d'une vignette. Le plus important est, une fois la zone coloriée, de basculer le *Calque 1* en mode *Produit* dans la palette des calques. Notez que si la couleur vous paraît trop artificielle, jouez avec le curseur d'opacité pour diminuer l'impact de la teinte. Enfin, utilisez l'outil **Gomme** (E) pour supprimer les éventuels débordements de votre brosse.

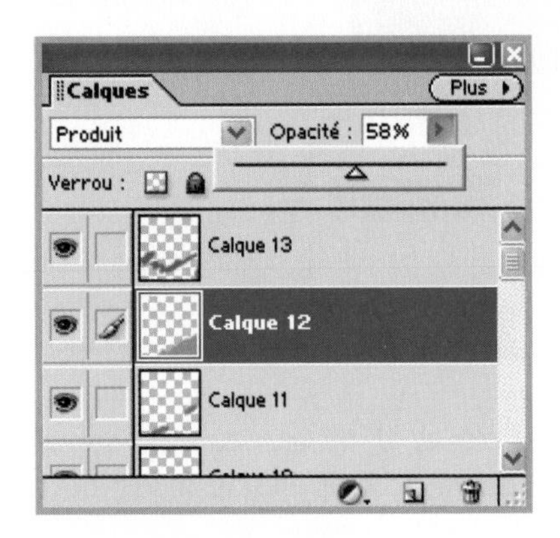

7 Pour colorier une nouvelle zone de l'image, créez de nouveau un calque. N'ayez pas peur de les multiplier, un tel exercice en nécessite parfois jusqu'à trente. La procédure est strictement identique.

Les deux points à retenir sont qu'il faut créer un nouveau calque pour chaque zone à colorier et qu'il faut basculer ce calque en mode *Produit* et jouer, le cas échéant, avec le curseur d'opacité.

FICHE 45 Concevoir une BD en noir et blanc

De nombreux auteurs de bandes dessinées ont choisi la bichromie noir et blanc pour créer leurs œuvres. Ce duo de couleurs apporte le plus souvent une atmosphère sombre et mystérieuse. Nous allons vous montrer avec quels outils créer la première case de votre bande dessinée. Il vous appartiendra ensuite de concevoir les cases suivantes et de les imprimer. Le filtre qui sera utilisé pour cette création convient mieux à des images disposant de forts contrastes, ainsi qu'à des portraits.

LISTE

Les fichiers du CD :
- Homme.jpg.

Les outils utilisés :
- Sur le CD : Adobe Photoshop Elements 2.0, *www.adobe.fr.*

1. Votre image est dans l'interface de Photoshop Elements 2.0. Dupliquez-la par précaution afin de ne pas travailler sur l'image d'origine. Cliquez sur l'icône *Quick Fix* de la barre d'outils de Photoshop Elements 2.0. Sélectionnez la catégorie de réglage *Luminosité*, puis *Niveaux automatiques*. Si votre image est un peu trop sombre, la boîte de dialogue **Quick Fix** se charge de lui redonner un peu de relief. Cliquez sur **Appliquer**. Vous pouvez essayer la même manipu-

lation, cette fois avec l'option *Contraste automatique*. Fermez la boîte de dialogue **Quick Fix** via le bouton OK.

2 Portez votre attention sur les deux carrés de couleur de la barre d'outils. Il est impératif d'attribuer la couleur noire à la couleur de premier plan, et la couleur blanche à la couleur d'arrière-plan. Si ces deux couleurs ne sont pas sélectionnées, une simple pression sur la touche D réinitialise les couleurs par défaut du logiciel.

3 Activez le menu **Filtre/Esquisse/Contour déchiré**. Ce filtre est très sensible. Comme vous le constaterez, changer la valeur balance de 1 point modifie considérablement l'aspect de l'image. Basez-vous sur une partie indispensable de l'image, un visage par exemple, et petit à petit, essayez d'obtenir un résultat qui montre les effets du filtre mais préserve également les lignes du sujet. Ce résultat est d'autant plus facile à obtenir que le sujet contraste fortement avec l'arrière-plan de l'image.

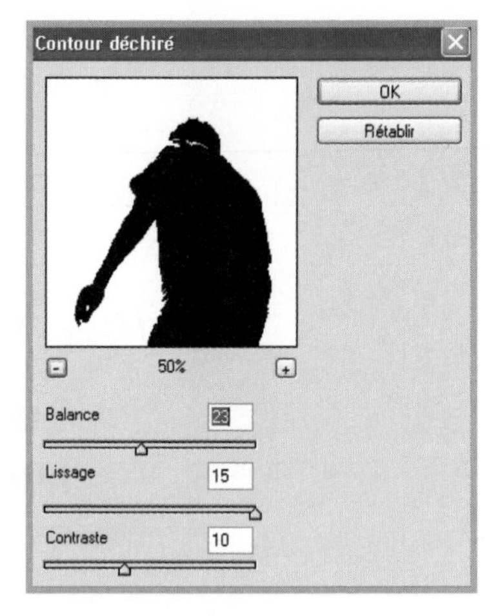

4 Le curseur *Lissage* va jusqu'à 15. Préférez une valeur plus basse, soit *14*, afin de ne pas trop durcir le trait de votre plume virtuelle. Enfin, positionnez le curseur *Contraste* sur une valeur qui ôte tout aspect pigmenté à l'image. Validez par OK et admirez…

5 Il reste à positionner les bulles et le texte. Commencez par le texte ; sélectionnez l'outil du même nom (T). Le noir étant toujours la couleur de premier plan, rédigez un texte dans une partie blanche de l'image. La police de caractères intitulée Comic sans MS se prête particulièrement bien à cet exercice. Ajustez sa taille (environ *20 pt* pour une image de dimension classique) et sa justification (centrée, idéalement). Rappel : pour sélectionner l'ensemble d'un texte, cliquez sur celui-ci et faites Ctrl+A. Si le texte est prêt, validez.

6 Vous allez créer la bulle maintenant. Dans la barre d'outils, inversez les couleurs de premier et d'arrière-plan en appuyant sur la touche X, puis sélectionnez l'outil **Rectangle de forme** (U). Dans la barre d'options de cet outil, sélectionnez *Forme personnalisée*. Le sélecteur de formes est positionné sur l'option par défaut. Cliquez sur la flèche noire pour faire apparaître les formes, puis sur l'autre flèche sur la droite. Dans la liste qui se déroule, vous allez choisir l'ensemble de formes *Bulles*. Enfin, le sélecteur de styles doit être inactif. Si tel n'est pas le cas, cliquez sur la flèche, puis sur la suivante (comme pour les bulles) et choisissez *Supprimer le style*.

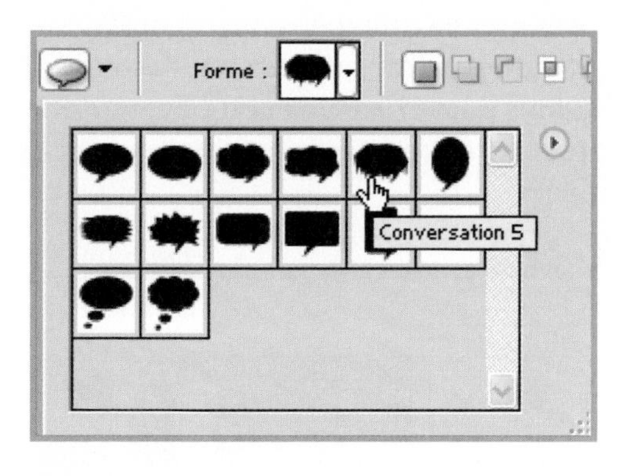

7 Sélectionnez une bulle parmi les quatorze proposées et tracez la forme par-dessus le texte, en prenant soin d'englober tous les caractères. Lorsque vous relâchez la souris, la forme masque le texte. Ouvrez la palette *Calques* et faites glisser le calque *Forme 1* entre le calque de texte et le calque *Arrière-plan*.

8 Cliquez du bouton droit sur le calque *Forme 1* et sélectionnez **Simplifier le calque**. Tout en appuyant sur Ctrl, cliquez sur la vignette du calque de manière à faire apparaître les pointillés de sélection de la forme. Activez le menu **Edition/Contour**. Dans la boîte de dialogue qui s'ouvre, entrez les valeurs suivantes : *Épaisseur* = *1 px*, *Couleur* = *Noir*, *Position* = *Centre*, *Mode* = *Normal*, *Opacité* = *100 %*. Validez par OK, puis désélectionnez par Ctrl+D. À vous de créer les prochaines cases !

FICHE 46 Convertir une image en tube à images

Un des outils les plus sympathiques de Paint Shop Pro 8 est sans conteste le tube à images. Imaginez un pinceau qui permet de diffuser sur la toile toutes sortes d'images. Paint Shop Pro dispose déjà d'une vaste gamme d'objets prédéfinis : de l'herbe, des éclairs, des araignées, divers objets en 3D... Cependant, vous allez découvrir qu'avec un lasso et quelques clics bien distillés, vous pouvez enrichir cette banque d'images de vos propres photos, à condition qu'elles soient en 24 bits (16,7 millions de couleurs).

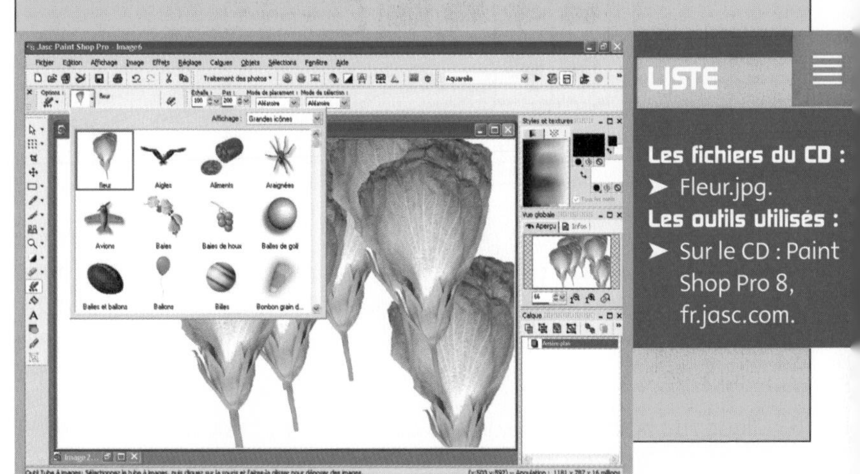

LISTE

Les fichiers du CD :
➤ Fleur.jpg.
Les outils utilisés :
➤ Sur le CD : Paint Shop Pro 8, fr.jasc.com.

1 Ouvrez dans l'interface de Paint Shop Pro 8 la photographie que vous souhaitez transformer en tube à image. Servez-vous pourquoi pas de celle qui illustre cette fiche et qui est le fruit d'une simple scanérisation. Sélectionnez maintenant l'outil **Lasso** dans la barre d'outils. Si cet outil n'apparaît pas, cliquez sur la flèche noire en

regard de l'outil de sélection puis déroulez les outils proposés jusqu'à choisir la *sélection au lasso*. Dans la barre d'options de cet outil, sélectionnez l'option *Contour optimal* dans la liste *Type de sélection*, en mode *Remplacer* et avec une valeur de *Progressivité* de *0*.

2 Détourez votre sujet. Cliquez avec le lasso sur un pixel du contour, puis sur un autre quelques pixels plus loin, et ainsi de suite jusqu'à boucler la sélection. Double-cliquez pour valider le détourage, puis faites Ctrl+C pour copier cette sélection.

3 Fort d'une sélection en 24 bits, 16,7 millions de couleurs, activez maintenant le menu **Edition/Coller/Comme nouvelle image**, ou Ctrl +V. Votre sélection s'affiche selon ses propres dimensions et repose sur un arrière-plan transparent. Vous touchez au but !

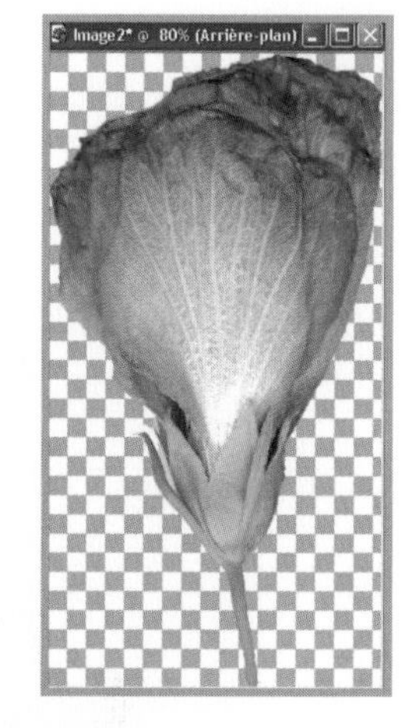

4 Activez maintenant le menu **Fichier/Exporter/Tube à images**. Dans la fenêtre qui s'ouvre, laissez telles quelles les valeurs de la rubrique *Agencement des cellules*. Dans la rubrique *Options de placement*, sélectionnez un mode de placement *Aléatoire*, une taille de pas de *200* et un mode de sélection *Aléatoire*. Enfin, attribuez un nom simple à votre image. Validez par OK.

Exportation d'un tube à images

Agencement des cellules
Horizontal : 1
Vertical : 1
Total : 1
Largeur des cellules : 348
Hauteur des cellules : 658

Options de placement
Mode de placement : Aléatoire
Taille du pas : 200
Mode de sélection : Aléatoire

Nom du tube : fleur
Nom du fichier : fleur.PspTube

OK Annuler Aide

5 Pour tester votre nouveau tube à images, ouvrez un nouveau document d'une taille quelconque et en choisissant un arrière-plan de la couleur de votre choix. Dans la barre d'outils, sélectionnez l'outil **Tube à images** puis, dans la barre d'options, cliquez sur la vignette de l'image par défaut afin d'ouvrir la liste de toutes vos images. Parcourez cette liste jusqu'à trouver votre tube récemment créé, cliquez sur la vignette, puis dessinez sur l'image que vous venez d'ouvrir. Pensez à varier l'échelle et le pas de votre tube.

FICHE 47 Convertir une image en un motif

Vous allez apprendre à créer un motif et à l'appliquer sur des surfaces qui manquent de gaieté. Ce qu'il vous faut ? Des images numériques, beaucoup d'images numériques. Photographiez tout ce qui passe devant votre objectif et qui est haut en couleur. Si vous ne possédez pas d'appareil numérique mais disposez d'un scanner, numérisez des fruits, des feuilles d'arbres... Le rendu est souvent stupéfiant.

LISTE

Les fichiers du CD :

- Maison2.jpg ; Fleur2.jpg ; Fleur3.jpg ; Fleur4.jpg ; Pommes.jpg.

Les outils utilisés :

- Sur le CD : Adobe Photoshop Elements 2.0, *www.adobe.fr*.

1 Pour cette fiche, vous utiliserez des images de fleurs de différentes couleurs et de pommes vertes. Vous êtes libre d'ajouter des photos à votre palette. Vous allez commencer par créer le motif. Ainsi, ouvrez dans l'interface l'image *Fleur2.jpg* qui servira de motif.

2 Activez l'outil de sélection de votre choix : une **Forme de sélection** (A) avec une *Dureté* de *0 %*, la **Baguette magique** (W)

si votre sujet est d'une couleur quasi uniforme, ou un **Lasso de sélection** (L) avec un *Contour progressif* de *5* pixels si le sujet est complexe. Détourez le sujet voué à devenir un motif.

3 Activez le menu **Calque/Nouveau/Calque par copier**. Double-cliquez sur le calque *Arrière-plan* et validez la boîte de dialogue suivante. Supprimez le *Calque 0* (anciennement *Arrière-plan*) en le faisant glisser dans la Corbeille de la palette *Calques*. Ne subsiste plus à l'écran que votre sélection sur un fond transparent.

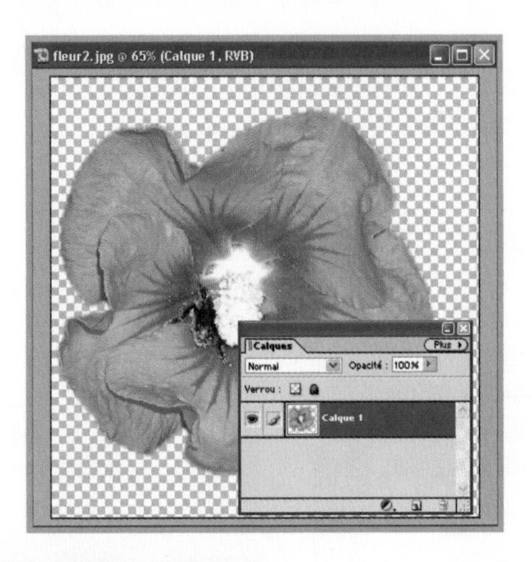

4 Activez l'outil **Recadrage** (C) et tracez une sélection au plus près de votre sujet. Validez cette sélection via l'icône *Valider le recadrage en cours*, situé dans la barre d'options.

5 Faites un clic droit dans la barre de titre de l'image. Sélectionnez **Taille de l'image** et attribuez à votre image une largeur d'environ *100 pixels*. Cochez la case *Conserver les proportions* afin que la hauteur s'adapte à la largeur. Validez par OK.

6 Ouvrez le menu **Edition/Utiliser comme motif**. Dans la boîte de dialogue **Nom du motif** qui vient de s'ouvrir, attribuez un nom à votre minuscule carré de couleur, puis validez par OK. La procédure de création de motif est achevée. Ce sera la même pour les autres images. Vous pouvez varier la taille, mais ne dépassez pas les *200 pixels*, surtout si le motif doit remplir de petites surfaces.

7 Ouvrez l'image que vous comptez égayer avec vos nouveaux motifs. Dans cet exemple, il s'agit de décorer les volets d'une magnifique demeure ancienne. Sélectionnez le **Lasso de sélection** polygonal (L) et tracez une sélection à l'intérieur de la zone à transformer. Créez un calque de cette sélection : **Calque/Nouveau/Calque par copier**.

8 Appuyez sur Ctrl et cliquez sur le *Calque 1* pour faire réapparaître la sélection. Activez le menu **Edition/Remplir**. Dans la rubrique *Remplir*, déroulez la liste *Avec* et sélectionnez l'option *Motif*. Cliquez sur la vignette de la liste *Motif personnalisé* et sélectionnez le motif que vous venez de créer. Laissez la rubrique *Fusion* telle quelle et validez par OK. Faites basculer le mode de fusion du *Calque 1* de *Normal* à *Obscurcir*, désélectionnez par Ctrl+D.

Répétez cette opération pour d'autres surfaces, et avec d'autres motifs.

FICHE 48 Faire la une du journal

Voici une idée de cadeau originale : inventer une couverture de magazine à la gloire de l'un de vos proches et pour une occasion particulière. C'est aussi simple qu'efficace. Le plus dur est peut-être de créer le logo du journal, et encore : soit vous vous inspirez des publications existantes et créez de toutes pièces un logo (ce que vous allez entreprendre), soit vous numérisez un logo connu (optez pour cette solution uniquement si votre création est à des fins personnelles).

LISTE

Les fichiers du CD :

➤ 28245.jpg.

Les outils utilisés :

➤ Adobe Photoshop Elements 2.0, *www.adobe.fr.*

I Sélectionnez l'image qui fera de l'un de vos proches la star du jour. Pour des raisons évidentes de mise en page, il est vivement conseillé de choisir une image en mode Portrait. Au besoin, l'outil **Recadrage** (C) permet de reformater verticalement une photo en mode Paysage. Idéalement, laissez de l'espace en haut de l'image afin de faire glisser le logo du journal… que vous allez maintenant concevoir.

2 Créez d'abord l'aplat de couleur où reposera le titre du magazine. Sélectionnez l'outil **Rectangle** (U) dans la barre d'outils, sans le moindre style, et avec une couleur qui tranche singulièrement avec l'image. Choisissez par exemple un rouge vif. Cliquez dans le carré de couleur de la barre d'options et, dans le sélecteur, entrez la valeur hexadécimale # FF0000. Validez par OK. Tracez un rectangle en haut et à gauche de l'image.

3 Cliquez sur le calque *Forme 1* puis sélectionnez l'outil **Texte** (T). Affichez le sélecteur de couleurs via le carré de la barre d'options et entrez la valeur # FFFFFF. Choisissez une police conventionnelle, du type *Futura Md BT*, taille *50 pt*. Cliquez sur le rectangle rouge et inscrivez le titre du magazine.

4 La dernière étape est la plus amusante : les titres de couverture. Inspirez-vous de ce que la presse professionnelle présente, tant en termes de fond qu'en termes de forme. Choisissez des polices classiques, des couleurs simples et variez les tailles de caractères pour marquer la différence entre le titre principal et les sous-titres. L'outil **Texte** de Photoshop Elements, en ce qui concerne sa manipulation de forme, fonctionne à la façon d'un logiciel de traitement de texte. Déplacez les blocs de texte de façon à mettre en page au mieux votre couverture. Pour cela, sélectionnez l'outil **Déplacement** (V), cliquez sur le calque concerné et, à l'aide des flèches de votre clavier, faites-le glisser progressivement. Vous pouvez également numériser un code-barres !

FICHE 49 Transformer une photo en puzzle

Cette fiche explique comment modifier une image pour lui donner un « air de puzzle ». En ce sens, vous réaliserez de nombreuses manipulations d'outils et de calques, et testerez une nouvelle texture.

LISTE

Les fichiers du CD :

➤ 210967.jpg.

Les outils utilisés :

➤ Adobe Photoshop Elements 2.0, *www.adobe.fr.*

1 Faites glisser l'image dans l'interface de Photoshop Elements 2.0 et ouvrez la palette *Calques* (**Fenêtre/Calques**). Sélectionnez le calque *Arrière-plan*. Cliquez du bouton droit. Dans le menu contextuel qui s'affiche, choisissez **Dupliquer le calque**. Ce nouveau calque se nomme *Arrière-plan copie* et sera la base de toute la réalisation. En bas de la palette des calques, cliquez sur l'icône *Créer un nouveau calque de réglage ou de remplissage*, puis sélectionnez l'option *Teinte/Saturation*. Cochez la case *Redéfinir* dans la boîte de dialogue qui vient de s'ouvrir, et placez les curseurs *Teinte* et *Saturation* sur *0*, soit à l'extrémité gauche. La luminosité ne change pas. Validez par OK. Le calque de réglage étant sélectionné, faites Ctrl+E afin de

fusionner le réglage avec son calque. À ce stade, sont affichés une image en noir et blanc et deux calques, dont le premier (*Arrière-plan copie*) est aussi en noir et blanc.

2 Laissez le calque *Arrière-plan copie* sélectionné et activez le menu **Filtre/Textures/Placage de textures**. Déroulez la liste *Texture* et choisissez l'entrée *Charger une texture*. Dans la boîte de dialogue **Ouvrir**, parcourez votre disque dur en suivant le chemin *C:\Program Files\Adobe\Photoshop Elements 2\Paramètres prédéfinis\Textures*. Dans ce dossier, sélectionnez le fichier *Puzzle*, puis cliquez sur **Ouvrir**. Vous êtes de retour dans la boîte de dialogue de paramétrage du filtre. Définissez une *Échelle* de *170 %* et un *Relief* de *18*. La direction de la lumière est *Haut droite* et la case *Inverser* est décochée. Validez par OK.

3 Le calque *Arrière-plan copie* est toujours sélectionné. Ouvrez la palette *Styles de calque* (**Fenêtre/Styles de calque**). Sélectionnez l'option *Ombre portée*. Cliquez sur le style *Forte* pour l'appliquer. Vous ne le voyez pas. C'est tout à fait normal et cela va changer.

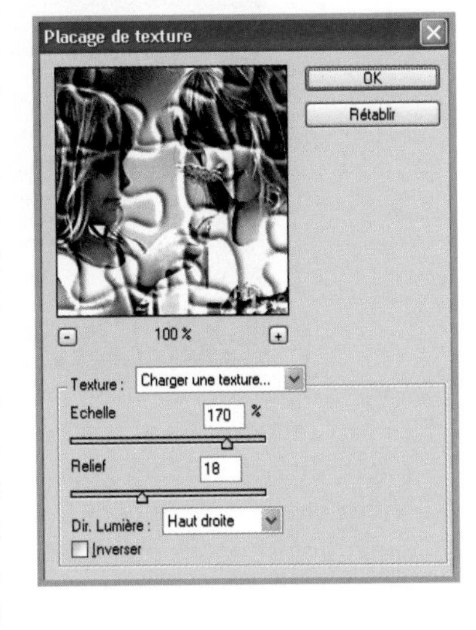

4 Appliquez l'outil **Zoom** (Z) sur l'image de manière à vous approcher des pièces du puzzle que vous allez déplacer. Sélectionnez l'outil **Forme de sélection** (A). Définissez une brosse de type *Arrondi flou*, dont la taille devra s'adapter aux dimensions de chaque pièce du puzzle, en mode *Sélection* et avec une *Dureté* de *50 %*. Tracez ensuite une sélection d'une première pièce du puzzle en prenant soin de tout sélectionner, et autant que possible, de ne pas déborder sur les pièces voisines. Au final, la pièce doit être entourée de pointillés mobiles.

5 Activez le menu **Calque/Nouveau/Calque par couper** afin de supprimer du calque *Arrière-plan copie* la sélection que vous venez d'effectuer et de l'isoler sur un calque à part entière. Revenez à une taille d'affichage (outil **Zoom**) de type *Taille écran*, puis activez l'outil **Déplacement** (V), le calque *Calque 1* devant être sélectionné. Faites glisser, puis déposez, la pièce du puzzle vers un bord de l'image. Vous pouvez également la faire pivoter dès lors que le pointeur de la souris laisse apparaître une flèche à double tête. Validez cette position via le bouton de validation de la barre d'options de l'outil **Déplacement**.

6 Le but recherché est partiellement obtenu : retirer une pièce du puzzle en noir et blanc pour faire apparaître l'arrière-plan en couleur. Notez que le style de calque appliqué au calque *Arrière-plan copie* est maintenant visible et s'appliquera à chaque pièce « détachée » du puzzle. Du reste, si ce style de calque vous paraît trop ou pas assez marqué, cliquez sur le petit **f** du calque *Arrière-plan copie* afin de modifier la distance de l'ombre portée.

Recommencez cet exercice à partir de l'étape 4, en sélectionnant une nouvelle pièce du puzzle depuis le calque *Arrière-plan copie* (c'est impératif !).

Se prendre pour un artiste

Vous l'ignorez peut-être, mais vous détenez un potentiel artistique insoupçonné. Peindre ou sculpter, dessiner ou calligraphier sont autant de disciplines auxquelles vos images numériques vont se prêter avec simplicité pour peu que vous suiviez les fiches de ce chapitre. Vous n'avez pas besoin de palette, de gouache ou d'encre pour vous croire aquarelliste, vous imaginer impressionniste ou coucher sur du papier de riz des estampes japonaises. Nul besoin de burin pour sculpter un bas-relief. Quelques filtres de Photoshop Elements 2.0, habilement appliqués (il ne suffit pas de plaquer un filtre sur une image), seront nécessaires. Libérez l'artiste qui sommeille en vous, vos images numériques n'attendent que cela.

FICHE 50 Devenir aquarelliste

L'aquarelle est une technique de peinture relativement ancienne, qui n'est jamais passée de mode. Par opposition à la peinture à l'huile, qui apporte un rendu bien plus dense, bien plus opaque, l'aquarelle a ceci de particulier que les pigments de la peinture sont délayés dans l'eau. Elle apporte une légère transparence jusqu'à laisser apparaître, parfois, le papier.

LISTE

Les fichiers du CD :

- Pré.jpg.

Les outils utilisés :

- Sur le CD : Adobe Photoshop Elements 2.0, *www.adobe.fr*.

1 Ouvrez l'image à transformer dans l'interface de Photoshop Elements 2.0, puis affichez la palette *Calques* (**Fenêtre/Calques**). Avant de commencer à paramétrer le filtre, il convient de rehausser les tons moyens de l'image. Ainsi, en bas de la palette *Calques*, cliquez sur l'icône *Créer un nouveau calque de réglage ou de remplissage*. Il est important de créer un calque de réglage, et non d'appliquer le réglage à même le calque de fond. Vous verrez pourquoi à la fin de cette fiche. Dans le menu contextuel qui s'affiche, sélectionnez la commande **Niveaux**.

2 L’histogramme qui apparaît vous informe des niveaux de lumière des tons de votre image. Sous cet histogramme résident trois triangles mobiles. Les triangles noir et blanc correspondent respectivement aux tons foncés et clairs. Le triangle central de couleur grise indique les tons moyens (ou gamma). C’est ce triangle que vous allez déplacer, vers la gauche, afin de rehausser la luminosité des tons moyens de l’image. N’ayez pas peur de surexposer un peu votre photo. Un aperçu de vos réglages est visible en temps réel dans l’image. Validez par OK pour sortir de la boîte de dialogue **Niveaux**.

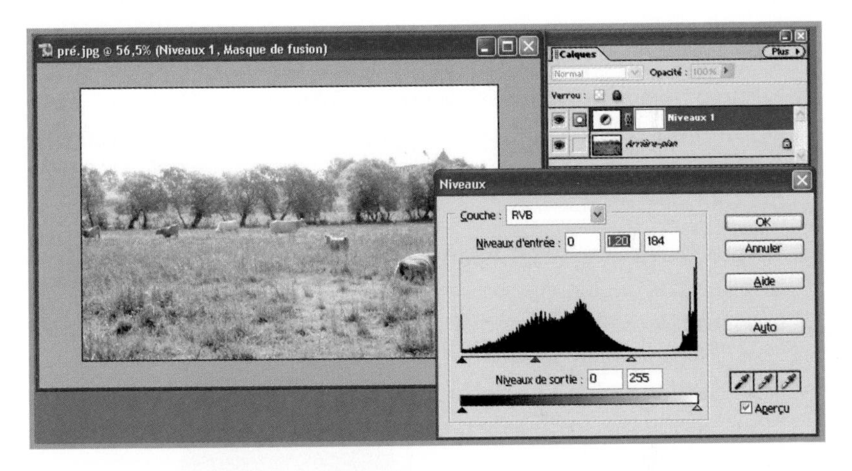

3 Sélectionnez de nouveau le calque *Arrière-plan* puis activez le menu **Filtre/Artistiques/Aquarelle**. Le curseur *Détail* vous permet d’apporter plus ou moins de précision dans le dessin. Paradoxalement, une faible valeur (l’échelle va de 1 à 14) donne de la matière aux contours de l’image. À l’opposé, une valeur forte contribue à rendre plus souples ces mêmes contours. L’aquarelle revenant à délayer les pigments de la peinture dans l’eau, privilégiez la souplesse et choisissez une valeur élevée de type *13* ou *14*, comme c’est le cas pour l’image qui illustre cette fiche.

4 Le curseur *Ombres*, dont l’amplitude va de 1 à 10, a pour effet d’assombrir les teintes de l’aquarelle, même si vous choisissez la valeur la

plus faible. C'est pourquoi vous avez préalablement rehaussé les niveaux moyens de l'image. Ce curseur permet également de modifier profondément l'ambiance d'une image. Une valeur faible (*2*) apporte une ambiance joyeuse ; une valeur moyenne (*4*) donne un sentiment de spleen baudelairien. Choisissez en fonction de votre humeur. Cet exemple se base sur une valeur de *2*.

5 Le curseur *Texture* permet de simuler la transparence du papier sur laquelle est peinte l'aquarelle. Ce paramètre correspond en quelque sorte au grain d'une photo ancienne. Choisissez une valeur faible (*1*) pour un relief quasi invisible ou une valeur forte (*3*) pour un forte transparence de la peinture sur le papier. Pour préserver l'un comme l'autre, utilisez dans cet exemple la valeur intermédiaire de *2*. Validez par OK.

6 Si vous jugez votre aquarelle trop sombre, double-cliquez sur le calque *Niveaux 1* pour afficher l'histogramme de l'image, puis déplacez les triangles blanc et gris vers la gauche de manière à éclairer l'image. Vous comprenez maintenant pourquoi il est indispensable de créer un calque de réglage, et non de paramétrer les niveaux à même le calque de fond (la dernière manipulation serait impossible).

FICHE 51 Se prendre pour un impressionniste

Devenir un peintre impressionniste avec Photoshop Elements, c'est avant tout une question de patience. Ainsi, lorsque certaines manipulations, dans d'autres domaines d'application, s'effectuent à l'aide de larges outils, le pinceau qui vous fera vous prendre pour Monet, Renoir ou Sisley nécessite une méticulosité artistique. Par petites touches, et en variant les tailles et les formes des brosses, vous parviendrez à obtenir un résultat digne de ce nom. Alors, armez-vous de patience et d'abnégation, le jeu en vaut la chandelle.

LISTE

Les fichiers du CD :

➤ Venise.jpg.

Les outils utilisés :

➤ Adobe Photoshop Elements 2.0, *www.adobe.fr.*

1 Pour commencer, faites glisser dans l'interface de Photoshop Elements une image représentant un paysage. Vous en avez certainement parmi vos photographies. Vous pouvez également utiliser l'image qui illustre cette fiche. L'important est de peindre sur une image aux tons clairs, qui ne comporte pas une infinité de détails. L'image ouverte, activez l'outil **Forme impressionniste** (B). Il se cache sous le traditionnel pinceau. Maintenez le bouton de la souris enfoncé lorsque vous cliquez sur l'outil **Pinceau** pour faire apparaître la **Forme impressionniste**.

2 Tout se joue dans la barre d'options. Cliquez dans le sélecteur de formes prédéfinies et sélectionnez les *Formes par défaut*. Déroulez la liste jusqu'à choisir une classique brosse de type *Arrondi flou*. Ne vous souciez pas, pour l'instant, de l'épaisseur de celle-ci. À l'aide de l'outil **Zoom** (Z), isolez à l'écran une zone précise. Activez de nouveau l'outil **Forme impressionniste** et définissez une épaisseur de brosse en fonction de la zone affichée à l'écran. Il y a fort à parier que l'épaisseur ne dépassera pas les 15 pixels. Avec une telle dimension de brosse, vous peindrez votre image par petites touches successives.

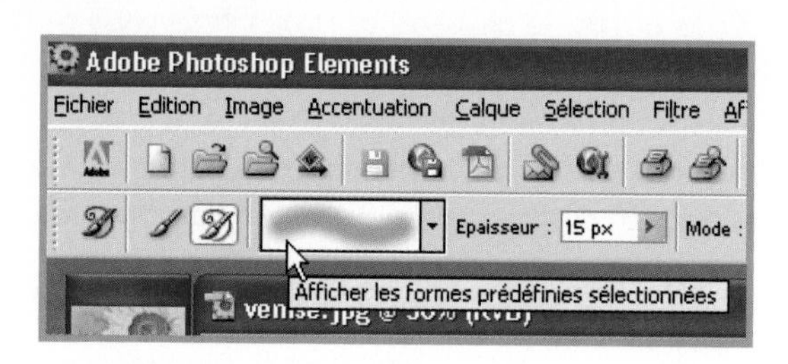

3 Le plus dur reste à faire. En fonction des pixels à peindre, il faut définir un mode de fusion d'une part, une valeur d'opacité d'autre part. On peut résumer la problématique de la façon suivante : lorsque vous peignez des contours sombres, mettez-vous en mode *Éclaircir* (vous conservez le dessin du contour en le rendant plus clair) ; à l'inverse, si les contours sont clairs, choisissez le mode *Obscurcir*. Les zones neutres, hors contours, supportent le mode *Normal*. Dans tous les cas, baissez l'*Opacité*, éventuellement jusqu'à *30 %*.

4 Déroulez la liste *Autres options* dans la barre d'options de l'outil **Forme impressionniste**. Une variété de styles sont proposés, chacun apportant une touche différente sur la « toile ». Le plus agréable est le style *Touche*. Après sélection de ce style, vous peignez en appliquant de petites touches sur l'image. Évitez, autant que possible, de laisser « traîner » le pinceau sur les pixels et n'hésitez pas à zoomer en arrière pour prendre le recul nécessaire… comme un vrai peintre.

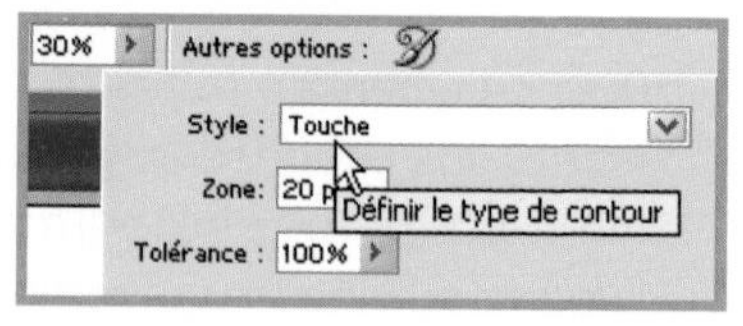

FICHE 52 Faire de la peinture à l'huile et à l'eau

À travers cette fiche, vous allez joindre l'utile à l'agréable. En effet, le but recherché est de transformer une image en une toile de maître, mais aussi d'apprendre à exploiter l'outil Forme de sélection. Le filtre Pinceau à sec, utilisé pour cet exercice, apporte le rendu d'un éventuel mélange entre aquarelle et huile.

LISTE

Les fichiers du CD :

➤ Lac.jpg.

Les outils utilisés :

➤ Sur le CD : Adobe Photoshop Elements 2.0, *www.adobe.fr.*

1 Ouvrez l'image sur laquelle vous souhaitez appliquer le filtre. Dans la barre d'outils de Photoshop Elements 2.0, sélectionnez l'outil **Forme de sélection** (A). L'image qui illustre cette fiche est composée de trois parties : les eaux du lac, le village et l'arrière-plan, fait de montagnes et de ciel. Pour éviter de donner un aspect uniforme à votre future toile, vous allez appliquer le même filtre, mais avec des valeurs de paramètres différentes, aux trois parties précédemment citées.

2 Commencez par le lac. À l'aide de l'outil **Forme de sélection**, doté d'une brosse de type *Arrondi flou 100 pixels*, tracez une sélection de pixels englobant le bas de l'image, soit les eaux du lac. Cela n'a aucune importance si vous débordez sur la partie supérieure.

3 Activez le menu **Filtre/Artistiques/Pinceau à sec**. Entrez une valeur d'*Épaisseur* de *0*, de manière à rendre le pinceau virtuel le plus fin possible. Entrez ensuite une valeur de *8* dans le champ *Détail* (presque le maximum), de façon à conserver les détails de l'onde. Enfin, une valeur de *Texture* moyenne de *2* maintient le relief de l'eau, sans pour autant trop le souligner. Validez par OK. Désélectionnez la zone en faisant Ctrl+D.

4 Toujours à l'aide de l'outil **Forme de sélection**, mais cette fois en définissant une *Épaisseur* d'environ *70 pixels* (la zone intermédiaire est plus fine), délimitez une zone de sélection qui englobe le village sur les rives du lac, ainsi que le premier rang de montagnes de chaque côté des habitations. Vous pouvez affiner la

sélection au niveau des zones plus petites (le clocher de l'église) grâce au **Lasso de sélection** polygonal (L). Par défaut sur la position *Ajouter à la sélection*, le lasso peut basculer en mode *Soustraire à la sélection* disponible dans la barre d'options, afin d'ôter des pixels.

5 Activez le filtre **Pinceau à sec** et entrez les valeurs *0*, *10*, *3* respectivement pour l'*Épaisseur*, le niveau de *Détail* et la *Texture*. Vous forcez ainsi sur les détails de façon à mettre le village plus en avant. Validez par OK, puis désélectionnez (Ctrl+D).

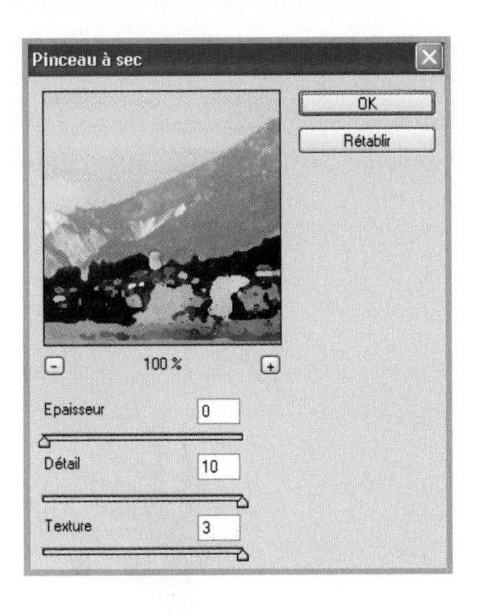

6 Sélectionnez pour finir l'arrière-plan montagneux à l'aide des outils de sélection précédemment cités. Lancez une dernière fois le filtre **Pinceau à sec** et entrez des valeurs opposées, à savoir *8*, *2* et *1* pour l'*Épaisseur*, le champ *Détail* et la *Texture*, de manière à faire disparaître, ou presque, les reliefs de la montagne. Cette méthode n'est rien d'autre qu'une simulation (version peinture !) de la profondeur de champ, un paramètre technique très commun en photographie. Cliquez sur OK : votre image est devenue une toile où se confondent les techniques de l'aquarelle, celles de la peinture à l'huile et de la photographie.

FICHE 53 Créer une estampe japonaise

Le sumi-e, c'est le mariage de l'encre noire (sumi) et du dessin (e) sur papier chinois. Importé au japon via le bouddhisme, cet art est ancestral (il existe depuis 1 300 ans). Il est essentiellement fondé sur une gestuelle simple, brève, spontanée et définitive. Le pinceau doit être manié avec dextérité, la toile doit ressembler au modèle et faire la part belle à la nature, aux traditions et à l'harmonie. Vous verrez également comment créer un arrière-plan simulant le papier chinois propre au sumi-e.

LISTE

Les fichiers du CD :
➤ Arbre.jpg.
Les outils utilisés :
➤ Sur le CD : Adobe Photoshop Elements 2.0, *www.adobe.fr*.

1 Ouvrez l'image de votre choix, ou celle qui illustre cet exemple, disponible sur le CD-Rom d'accompagnement. Il s'agit d'un arbre « déplumé », hiver oblige. Il sera d'autant plus simple à détourer. En effet, seuls les contours sont importants. À l'aide des divers outils de sélection (la **Baguette magique** ou le **Lasso** en mode *Soustraire à la sélection*), supprimez tout l'arrière-plan pour ne conserver que le sujet principal. Au besoin, utilisez l'outil **Gomme** (E) pour éliminer

les résidus d'arrière-plan. Désélectionnez en faisant Ctrl+D. Éliminez les couleurs de l'image en faisant Ctrl+Maj+U. Cela est important si l'on veut respecter la tradition japonaise, qui consiste à ne peindre qu'en noir. À ce stade, l'arbre est parfaitement détouré et repose sur un arrière plan uni, blanc, si les couleurs par défaut de Photoshop Elements étaient actives dès le début.

2 Ouvrez le menu **Filtre/Contours/sumi-e**. Entrez les valeurs suivantes : *Épaisseur* = *15*, *Pression* = *14*, *Contraste* = *40* et validez par OK. Activez la **Baguette magique** et cliquez sur l'arrière-plan uni. Faites Ctrl+Maj+I pour inverser la sélection, puis créez un nouveau calque via le menu **Calque/Nouveau/Calque par copier**. Revenez sur le calque *Arrière-plan*. Faites Ctrl+Maj+N pour créer un nouveau calque que vous nommerez *Papier*.

3 Cliquez dans le carré de couleur de premier plan. Dans le champ #, entrez la valeur `FAF1E1` et validez par OK. Activez le menu **Edition/Remplir**. Dans la liste *Avec*, sélectionnez l'option *Couleur de premier plan*. Validez par OK. Activez le menu **Filtre/Textures/Placage de texture**. Dans la liste déroulante *Texture*, choisissez *Toile*. L'échelle est de *100 %*, le relief de *4* et la lumière vient de la droite. Validez par OK.

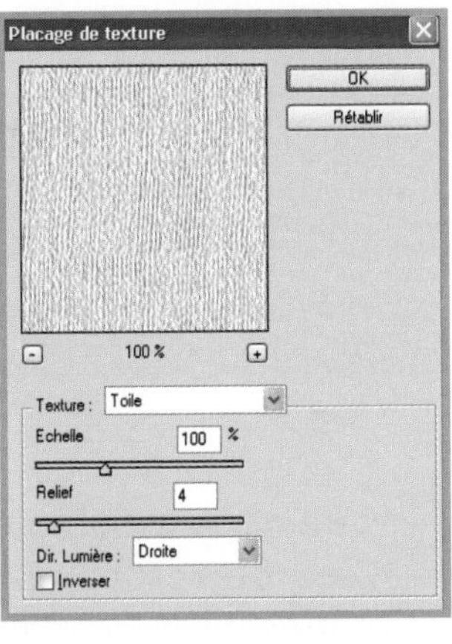

4 Votre sumi-e est terminé. Vous pouvez ajouter des symboles, comme le montre l'illustration principale de cette fiche. Le « soleil levant » n'est autre qu'un rond rouge dessiné avec l'outil **Ellipse** (U) sur un calque au final simplifié. Quant au texte, sa police de caractères est *Calligraph421 BT*.

FICHE 54 Dessiner au fusain

Le fusain est un bâton de charbon de bois tendre et friable qui offre des variations de noirs très purs et de gris nuancés. De nombreux apprentis dessinateurs commencent à travailler au fusain, pour son coût très abordable et surtout parce qu'il s'efface rapidement, permettant de rattraper une erreur. La fiche qui suit explique comment réaliser un dessin au fusain à partir d'une image en couleur, sur un papier digne de ce nom... enfin, une simulation de papier.

LISTE

Les fichiers du CD :

- Maison.jpg.

Les outils utilisés :

- Sur le CD : Adobe Photoshop Elements 2.0, *www.adobe.fr.*

1 Votre image est affichée dans l'interface de Photoshop Elements. À ses côtés est ouverte la palette *Calques* (**Fenêtre/Calques**). De l'autre côté de l'interface, la barre d'outils du logiciel est accessible. Notez qu'il est plus confortable de travailler avec une image aux tons moyens rehaussés. Le cas échéant, utilisez la boîte de dialogue **Quick Fix** et sa commande **Luminosité et contraste** pour donner de la lumière à votre photo.

2 Le filtre **Fusain** utilise les deux couleurs de premier et d'arrière plan pour simuler un dessin au fusain. La couleur de premier plan, le noir pur, est utilisée pour les traits de fusain, la couleur d'arrière-plan, à savoir l'ivoire, pour le papier. En cliquant sur le carré correspondant à la couleur de premier plan, une fois dans le sélecteur de couleurs, entrez la valeur *0* dans les champs *R*, *V* et *B* (noir pur). Validez, puis cliquez sur la couleur d'arrière-plan. Dans le sélecteur de couleurs, entrez dans les champs *R*, *V* et *B*, les valeurs *248*, *246* et *225* (couleur ivoire). Fermez le sélecteur.

3 Dans la palette *Calques*, cliquez du bouton droit sur le calque *Arrière-plan* et sélectionnez **Dupliquer le calque**. Dans le champ *En tant que*, attribuez la mention *Fusain* au nouveau calque. Validez par OK. Revenez sur le calque *Arrière-plan* et activez la combinaison Ctrl + Maj + N pour créer un nouveau calque. Nommez ce calque *Texture* et laissez telles quelles les autres options. Le calque *Texture* étant sélectionné, activez le menu **Edition/Remplir**. Dans la rubrique *Remplir*, positionnez la liste déroulante *Avec* sur *Couleur d'arrière-plan*. Ne modifiez pas les autres options et validez cette boîte de dialogue.

4 En cliquant sur l'œil, masquez le calque *Fusain* pour faire apparaître le calque *Texture* rempli de la couleur d'arrière-plan ivoire. Activez le menu **Filtre/Textures/Placage de texture**. Déroulez la liste *Texture* afin de sélectionner l'option *Charger une texture*. Parcourez votre disque dur en suivant le chemin *C:\Program Files\Adobe\Photoshop Elements 2\Paramètres prédéfinis\Textures* et sélectionnez le fichier *Verre dépoli*. Entrez une valeur d'échelle de *180 %* et un relief de *6*. La lumière est orientée vers le haut. Validez par OK. Le papier est prêt. Il est temps de dessiner.

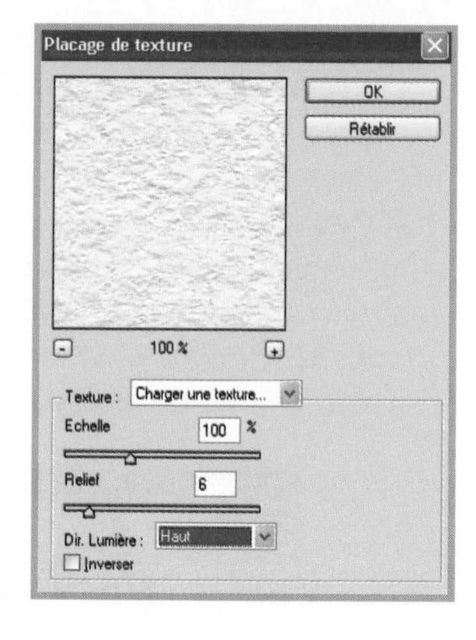

5 Cliquez sur le calque *Fusain* : il réapparaît instantanément, cachant (pour l'instant) le calque *Texture*. Activez le menu **Filtre/Esquisse/Fusain** et entrez les valeurs suivantes : *Épaisseur* = *2*, *Détail* = *5*, *Clair/Foncé* = *70*. Validez par OK. Dans la palette *Calques*, basculez le mode de fusion de ce calque de *Normal* à *Produit*. Baissez également l'*Opacité* à *90 %*. Voilà, vous savez dessiner au fusain sur du papier ancien !

FICHE 55 Dessiner avec des crayons de couleur

À partir d'une simple image numérique, et fort de quelques conseils, vous allez apprendre à restituer le toucher des crayons de couleur.

Les fichiers du CD :
- Chat.jpg.

Les outils utilisés :
- Sur le CD : Adobe Photoshop Elements 2.0, *www.adobe.fr.*

1 Ouvrez de préférence une image aux contrastes marqués ; cela facilitera cet exercice. L'image qui sert de support ici (disponible sur le CD-Rom d'accompagnement) offre une petite quantité de teintes, avec plus ou moins de variations et de forts contrastes. Activez l'outil **Lasso de sélection** (L) dans la barre d'outils et définissez un *Contour progressif* de *10 pixels* en mode *Lissé* dans la barre d'options.

2 Définissez une zone de sélection englobant le volet bleu. Notez que le filtre que vous allez appliquer dessine les contours de l'image en simulant le frottement du crayon de couleur sur le papier, laissant apparaître parfois un motif de croisillons. La couleur de dessin est celle de l'image. Mais pour les zones hors contours, c'est la couleur d'arrière-plan qui est utilisée pour le coloriage. Pour dessiner la pre-

mière zone de pixels, procédez ainsi : activez l'outil **Pipette** (I), cliquez sur une zone du volet de couleur bleu moyen et appuyez sur la touche X pour inverser les couleurs de premier et d'arrière-plan.

3 Ouvrez le menu **Filtre/Artistiques/Crayon de couleur**. Ajustez la vignette d'aperçu par rapport à la zone à modifier, puis entrez les valeurs suivantes : *Épaisseur* = *7*, *Pression* = *15* et *Clarté du papier* = *45*. Validez par OK, puis désélectionnez en faisant Ctrl+D.

4 Opérez de la même manière pour chaque zone à colorier aux « crayons de couleur ». Définissez systématiquement une couleur d'arrière-plan correspondant à une teinte moyenne de la zone à colorier. Dans la boîte de dialogue de filtre, vous pouvez faire varier les valeurs de *Pression* (une valeur faible lisse la zone) ou de *Pression* (une valeur forte accentue les détails). Conservez une *Clarté du papier* identique pour les différentes zones.

FICHE 56 Dessiner à la plume calligraphique

Dessiner à la plume calligraphique est d'une simplicité enfantine avec Photoshop. Il suffit d'appliquer un simple filtre, qui convient à tout type d'image, du paysage au portrait, de l'image épurée à la photographie la plus complexe. Comme le filtre est simple, vous en profiterez pour optimiser l'image de base via des réglages automatiques, ainsi que le papier via l'application d'une texture.

LISTE

Les fichiers du CD :

- Eglise.jpg.

Les outils utilisés :

- Sur le CD : Adobe Photoshop Elements 2.0, *www.adobe.fr.*

1 Faites glisser l'image à transformer dans l'interface, puis cliquez sur l'icône *Quick Fix* de la barre d'outils de Photoshop Elements 2.0. Sélectionnez la catégorie de réglage intitulée *Luminosité*, puis faites un réglage automatique des *Niveaux*, puis des *Contrastes*. Vous pouvez augmenter la *Luminosité* si votre image de départ est un peu sombre. Validez vos changements par OK.

2 Tout en appuyant sur le bouton Alt de votre clavier, activez le menu **Image/Dupliquer l'image**. Cliquez dans le carré de couleur de premier plan. Dans le sélecteur de couleurs, entrez, dans le champ de couleur hexadécimale, symbolisé par le signe #, la valeur `FCECCF`. Validez par OK. Activez le menu **Edition/Remplir**, puis *Couleur de premier plan*. Validez par OK.

3 Pour simuler le grain du papier sur lequel vous allez dessiner, employez le très efficace placage de texture. Activez le menu **Filtre/Textures/Placage de texture**. Dans la liste déroulante *Texture*, sélectionnez *Charger une texture*. La boîte de dialogue **Ouvrir** apparaît. Parcourez votre disque dur en suivant ce chemin : *C:/Program files/Adobe/Photoshop Elements 2/Paramètres prédéfinis/Texture*. Choisissez le fichier *Verre dépoli*, puis cliquez sur **Ouvrir**. Appliquez les paramètres suivants : *Échelle* = *100 %*, *Relief* = *3*, *Direction de la lumière* = *Bas gauche*. Validez par OK.

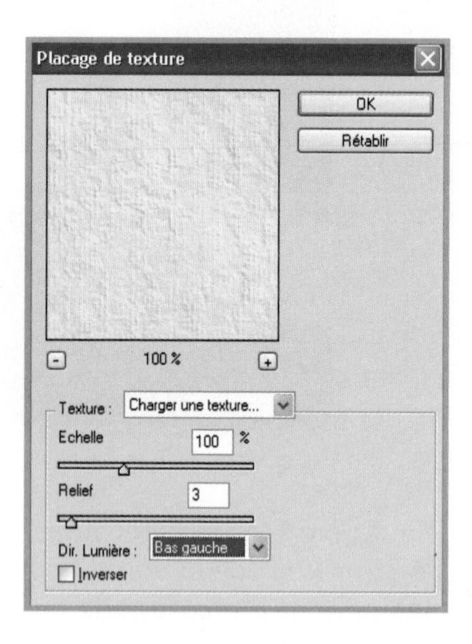

4 Activez de nouveau l'image de départ. Sélectionnez l'outil **Lasso de sélection** polygonal (L) avec un *Contour progressif* de *1 pixel*. Détourez le sujet principal jusqu'à en faire une sélection symboli-

sée par un pointillé mobile. Activez le menu **Calque/Nouveau/Calque par copier** afin de créer un nouveau calque portant le nom de *Calque 1*. Ensuite, cliquez sur le calque *Arrière-plan*.

5 Sélectionnez la copie de l'image remplie du fond texturé. Faites Ctrl + A pour tout sélectionner, puis Ctrl+C pour copier cette image. Revenez à l'image principale et faites Ctrl+V pour coller la texture entre le calque *Arrière-plan* et le *Calque 1*.

6 Sélectionnez le *Calque 1*, appuyez sur la touche X pour inverser les couleurs de premier et d'arrière-plan, puis ouvrez le menu **Filtre/Esquisse/Plume calligraphique**. Entrez les valeurs suivantes : *Longueur* = *13*, *Clair/Foncé* = *93*, *Direction* = *Diagonale à droite*. Attention : ces valeurs sont propres à l'image illustrant cette fiche. Validez par OK.

7 Dans un souci d'authenticité, basculez le *Calque 1* de *Normal* à *Obscurcir* de manière à apercevoir la texture sur toutes les parties claires de votre calligraphie.

Maîtriser le pointillisme

Le pointillisme est une technique picturale qui juxtapose des tâches de couleur pure plus ou moins grandes. Cette technique, fondée sur les théories de la persistance des impressions lumineuses sur la rétine, prend toute sa dimension dès lors qu'une certaine distance est préservée entre l'œil et le tableau. Seurat, Signac, et plus tard Henri Matisse, firent scandale avec leurs tableaux pointillistes à la fin du XIXe siècle. Cette fiche ne consiste pas en une simple application d'un filtre Photoshop, comme vous allez le voir...

LISTE

Les fichiers du CD :

- Colza.jpg.

Les outils utilisés :

- Sur le CD : Adobe Photoshop Elements 2.0, *www.adobe.fr.*

Ouvrez l'image dans l'interface de votre logiciel. Comme vous débutez, sélectionnez de préférence une image de paysage, avec de forts contrastes entre les différents sujets. L'image qui illustre cette fiche (disponible sur le CD-Rom) est un parfait support pour vous entraîner.

2 Ouvrez la palette *Calques* (**Fenêtre/Calques**) et disposez-la à côté de l'image. Cliquez du bouton droit sur le calque *Arrière-plan*, sélectionnez **Dupliquer le calque** dans le menu contextuel, puis validez par OK la boîte de dialogue qui s'ouvre. Activez l'outil **Lasso de sélection** (L). Dans la barre d'options de cet outil, sélectionnez le mode *Lasso polygonal*.

3 L'image présente trois parties distinctes : le ciel, la ferme abandonnée parmi les arbres et le champ de colza. Notez une information capitale pour l'utilisation du filtre **Pointillisme**. Ce filtre crée un motif de cellules (ou tâches de couleur) totalement aléatoire. C'est la couleur d'arrière-plan qui comble les vides entre les cellules. Ainsi, le choix de cette couleur est primordial pour obtenir un résultat cohérent. À l'aide du **Lasso de sélection** (entrez un *Contour progressif* de *2 pixels*, mode *Lissé*, dans la barre d'options), définissez une zone englobant le ciel, et uniquement celui-ci.

4 Dans la barre d'outils, cliquez dans le carré de couleur d'arrière-plan. S'ouvre le sélecteur de couleurs. Le pointeur de la souris est un rond transparent, lorsqu'il est à l'intérieur de ce sélecteur, et il prend la forme d'une pipette de sélection, lorsqu'il est au-dessus de l'image. Cliquez avec cette pipette dans le ciel bleu de l'image, puis validez la sélection par le bouton OK. La couleur d'arrière-plan, qui remplira les intervalles entre les cellules, est maintenant définie.

5 Le calque *Arrière-plan copie* étant toujours sélectionné, activez le menu **Filtre/Pixellisation/Pointillisme**. Un seul paramètre est à définir : la taille des cellules ou des tâches de couleur pure (et donc leur nombre). Parce que la zone de ciel est large, entrez une valeur de 6. Cliquez sur OK, puis désélectionnez en faisant Ctrl+D.

6 Reprenez exactement la même procédure pour la ferme perdue parmi les arbres. Commencez par définir une teinte verte pour la couleur d'arrière-plan, sélectionnez au **Lasso** toute la zone, puis activez le filtre **Pointillisme**. Cette fois, comme la zone est plus fine, diminuez le nombre de cellules. Entrez une valeur de 5 dans le champ *Cellule*. Validez, puis désélectionnez.

7 Reprenez une dernière fois la procédure pour traiter le champ de colza. Définissez une valeur de *Cellule* de 7, avec un arrière-plan jaune moyen.

8 Réduisez l'impact des trois applications successives du filtre **Pointillisme**. En ce sens, dans la palette *Calques*, le calque *Arrière-plan copie* étant toujours sélectionné, baissez l'*Opacité* à *70 %*. Ainsi, le calque avec filtres se confond avec le calque original et neutre, ce qui diminue l'aspect artificiel des transformations.

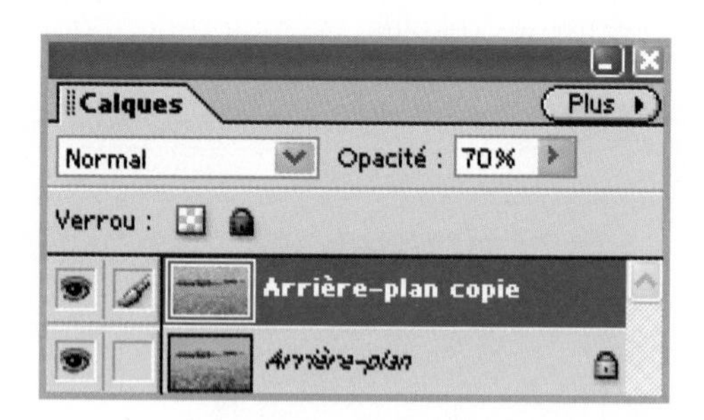

FICHE 58 Sculpter un bas-relief

Un bas-relief est une sculpture qui se détache plus ou moins d'une façade. Celle-ci peut-être en métal, comme en pierre. Sculpter un bas-relief permet d'isoler un sujet pour le mettre en valeur. Si vous vous contentiez d'appliquer le filtre sur l'ensemble de votre photo, le fond de l'image prendrait également un aspect sculpté. Vous allez donc d'abord isoler le sujet, puis, via un filtre supplémentaire, créer l'arrière-plan où sera sculpté le bas-relief. Ensuite, vous vous saisirez du marteau et du burin !

LISTE 

Les fichiers du CD :

➤ Ara.jpg.

Les logiciels utilisés :

➤ Sur le CD : Adobe Photoshop Elements 2.0, *www.adobe.fr.*

1 Appuyez sur D de manière à réinitialiser les couleurs par défaut de Photoshop Elements. C'est un détail, mais mieux vaut ne pas l'oublier. Glissez ensuite votre image dans l'interface et dupliquez-la dans la foulée. Pour ce faire, activez le menu **Image/Dupliquer l'image**. Nommez cette copie *Bas-relief*. Disposez les deux images jumelles côte à côte.

2 Préparez le support pour la sculpture. Sélectionnez l'image *Bas-relief*, puis activez le menu **Filtre/Rendu/Nuages** pour obtenir une curieuse nébuleuse grise.

3 Sélectionnez l'image originale. Activez l'outil **Forme de sélection** (A) et détourez le sujet de premier plan. Pour ce faire, choisissez une épaisseur de brosse correspondant au format du sujet, en mode *Sélection*, avec une valeur de *Dureté* de *20 %*. Notez que le **Lasso de sélection** (L) permet au besoin d'affiner le détourage. Une fois le sujet à sculpter détouré, activez l'outil **Déplacement** (V). Cliquez sur la sélection et déplacez-la dans l'image *Bas-relief*. Ouvrez la palette *Calques* (**Fenêtres/Calques**). Le sujet se nomme maintenant *Calque 1*.

4 Faites Ctrl+E pour fusionner les deux calques. Activez le menu **Filtre/Esquisse/Bas-relief**. Choisissez les valeurs de *Détails*, de *Lissage* et de *Lumière* en fonction de vos goûts personnels. Sachez qu'une valeur élevée de *Détails* convient parfaitement si l'image de départ présente beaucoup de détails. Quant au *Lissage*, considérez-le comme une fonction de mise au point. Plus la valeur est faible, plus la sculpture est nette.

FICHE 59 Déformer un visage

Depuis l'apparition des premiers logiciels destinés à l'image numérique, la transformation des visages est un loisir auquel tout le monde a un jour goûté. Les outils de grossissement rendent musclés les plus malingres, les outils de renfoncement font plus de bien en un clic de souris que des mois de diète, les yeux deviennent globuleux, la bouche pincée et le nez plus fin qu'une lame de rasoir. Bref, tout le monde en prend pour son grade et c'est justement ça qui est drôle. D'autant que désormais, Photoshop Elements 2.0 dispose d'une arme terrible : le filtre Fluidité. Démonstration sans bistouri ni anesthésie.

LISTE

Les fichiers du CD :

- chat2.jpg

Les outils utilisés :

- Sur le CD : Adobe Photoshop Elements 2.0, *www.adobe.fr.*

Vous possédez certainement parmi toute vos images le portrait de l'un de vos proches à qui vous souhaitez faire une bonne blague. Plus diplomate (sait-on jamais la réaction du proche en question), vous pouvez vous contenter de son animal de compagnie qui, lui, ne vous en tiendra pas grief. Ouvrez l'image *chat2.jpg* dans l'interface en la faisant glisser depuis l'Explorateur de fichiers. Si vous décidez d'ouvrir une image de votre collection, pensez à améliorer le cas échéant la luminosité et le contraste en faisant appel à la fenêtre **Quick Fix** dont le bouton de lancement est situé dans la barre d'outils.

2 Dès que votre sujet est prêt à entrer en salle d'opération, activez le menu **Filtre/Déformation/Fluidité**.

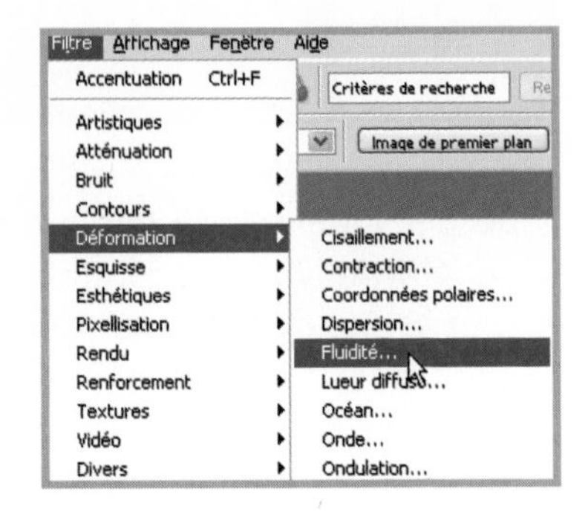

3 Vous voilà face à la plus grande boîte de dialogue de paramétrage d'un filtre de Photoshop Elements 2.0. Le portrait vous fait face, à votre gauche les outils de transformation, à votre droite les curseurs de paramétrages des outils. Nous allons commencer par affiner le nez de notre personnage. Ainsi, cliquez sur le bouton **Contraction** (P), puis définissez une valeur d'*épaisseur* de *40* accompagnée d'une *pression* de *70*. Cette dernière valeur dépend surtout de la zone que vous souhaitez transformer. Ainsi, plus la valeur est faible, plus lente et précise sera la déformation. L'inverse est bien entendu valable. Cliquez maintenant sur le nez du personnage, maintenez la pression sur le bouton de la souris, et faire mincir l'appendice nasal de votre ami, ou comme sur l'image ci-dessous, le museau de ce sympathique félin.

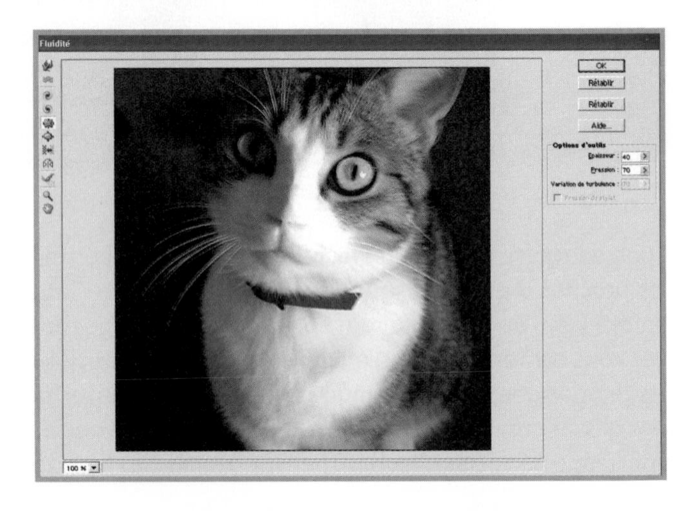

4 Si vous allez trop loin, deux possibilités vous permettent de revenir en arrière. La première, radicale, consiste à cliquez sur le bouton **Rétablir** qui redessine l'image telle qu'elle fut avant transformation. En effet, tant que vous n'avez pas cliquez sur OK, toute déformation n'est que provisoire. L'autre méthode est plus progressive puisqu'il s'agit d'actionner l'outil **Reconstruction** (E) qui, en cliquant sur les zones modifiées, remodèle le personnage jusqu'à lui faire retrouver son apparence d'origine.

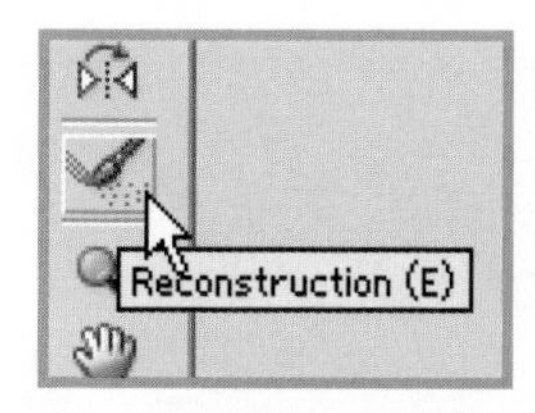

5 Vous pouvez maintenant passer aux yeux du personnage en sélectionnant l'outil **Dilatation** (B). Opérez de la même manière et avec, pourquoi pas, des paramètres d'épaisseur et de pression plus élevés.

6 Pour optimiser vos déformations, n'hésitez pas à vous servir des outils **Zoom** et **Main**. D'autres outils de déformation sont accessibles tels que l'outil **Turbulence** qui déforme considérablement les pixels d'une image, ou encore les deux outils de **Tourbillon**, qui font tournoyer les pixels des images... et qui ont permis de friser les moustaches de notre chat. Bref, avec ce filtre très puissant, vous disposez d'une batterie d'outils impressionnants pour modifier, dégrader, améliorer (le cas échéant) vos portraits.

Index

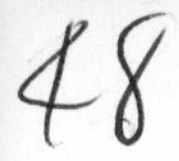

Index

Aubin Imprimeur - *Ligugé, Poitiers* D.L. décembre 2003 / Impr. : P 66079